A-Z LUTON & DUNSTABLE

C000255000

CONTENTS

REFERENCE

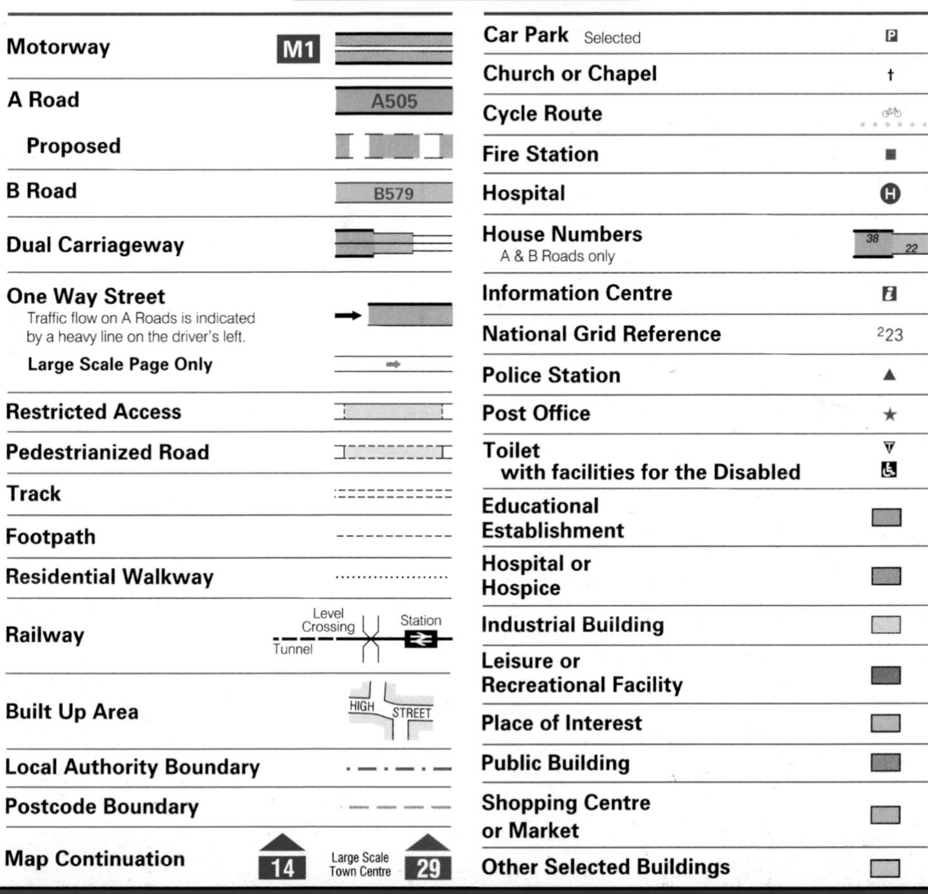

Motorway	M1
A Road	A505
Proposed	
B Road	B579
Dual Carriageway	
One Way Street — Traffic flow on A Roads is indicated by a heavy line on the driver's left.	
Large Scale Page Only	
Restricted Access	
Pedestrianized Road	
Track	
Footpath	
Residential Walkway	
Railway	Level Crossing / Tunnel / Station
Built Up Area	HIGH STREET
Local Authority Boundary	
Postcode Boundary	
Map Continuation	14 — Large Scale Town Centre 29

Car Park Selected	P
Church or Chapel	†
Cycle Route	
Fire Station	■
Hospital	H
House Numbers A & B Roads only	38 / 22
Information Centre	i
National Grid Reference	23
Police Station	▲
Post Office	★
Toilet with facilities for the Disabled	▽ / ♿
Educational Establishment	▨
Hospital or Hospice	▨
Industrial Building	▨
Leisure or Recreational Facility	▨
Place of Interest	▨
Public Building	▨
Shopping Centre or Market	▨
Other Selected Buildings	▨

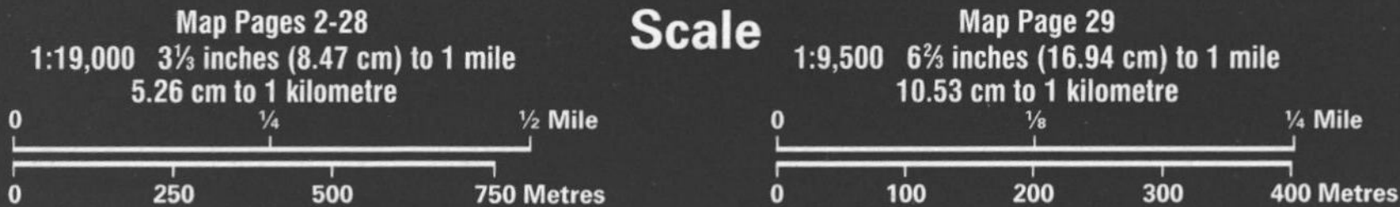

Scale

Map Pages 2-28
1:19,000   3⅓ inches (8.47 cm) to 1 mile
5.26 cm to 1 kilometre

0   ¼   ½ Mile
0   250   500   750 Metres

Map Page 29
1:9,500   6⅔ inches (16.94 cm) to 1 mile
10.53 cm to 1 kilometre

0   ⅛   ¼ Mile
0   100   200   300   400 Metres

Copyright of Geographers' A-Z Map Company Limited

Head Office:
Fairfield Road, Borough Green, Sevenoaks, Kent, TN15 8PP
Telephone 01732 781000 (General Enquiries & Trade Sales)

Showrooms:
44 Gray's Inn Road, London, WC1X 8HX
Telephone 020 7440 9500 (Retail Sales)
www.a-zmaps.co.uk

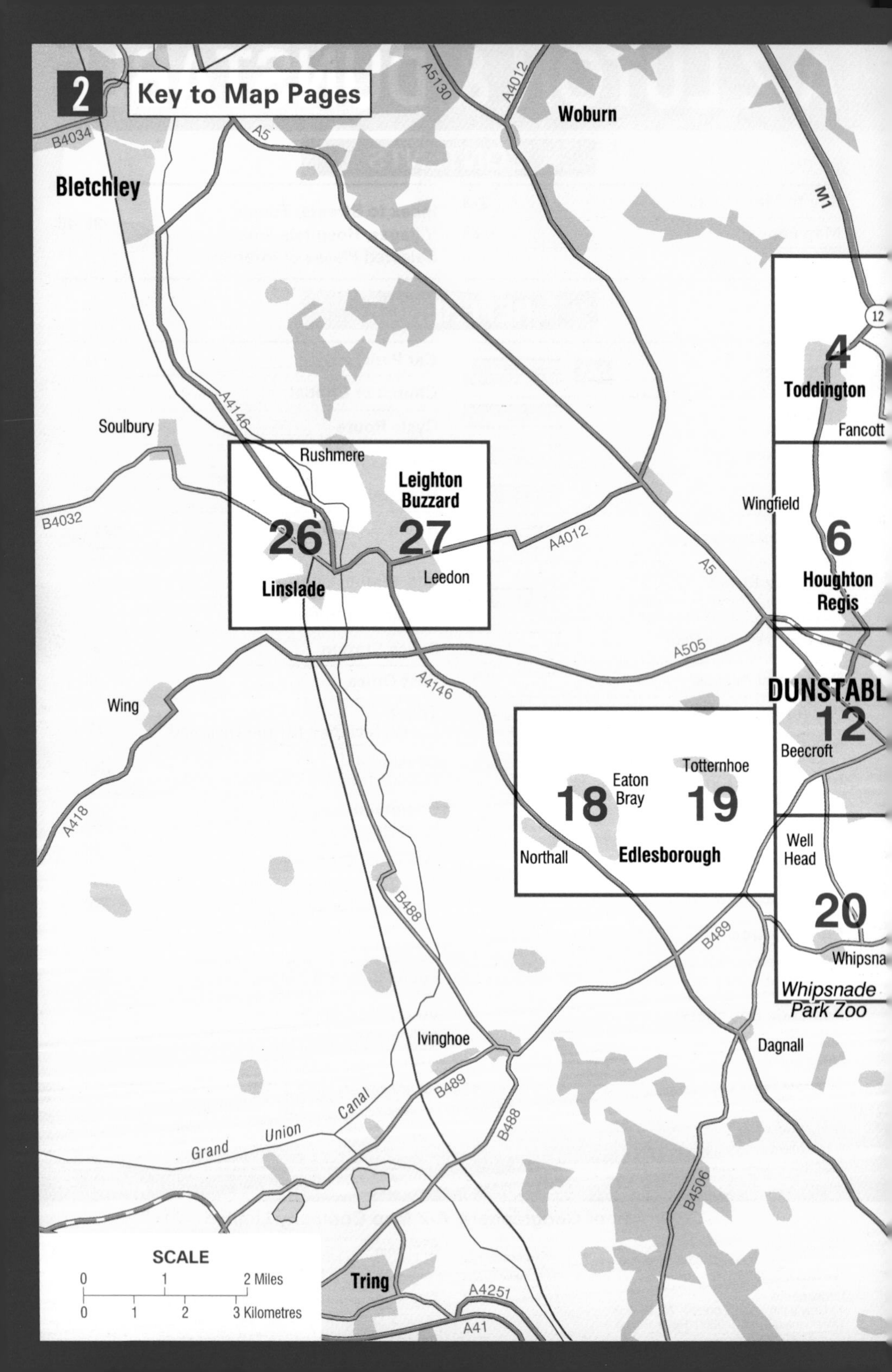

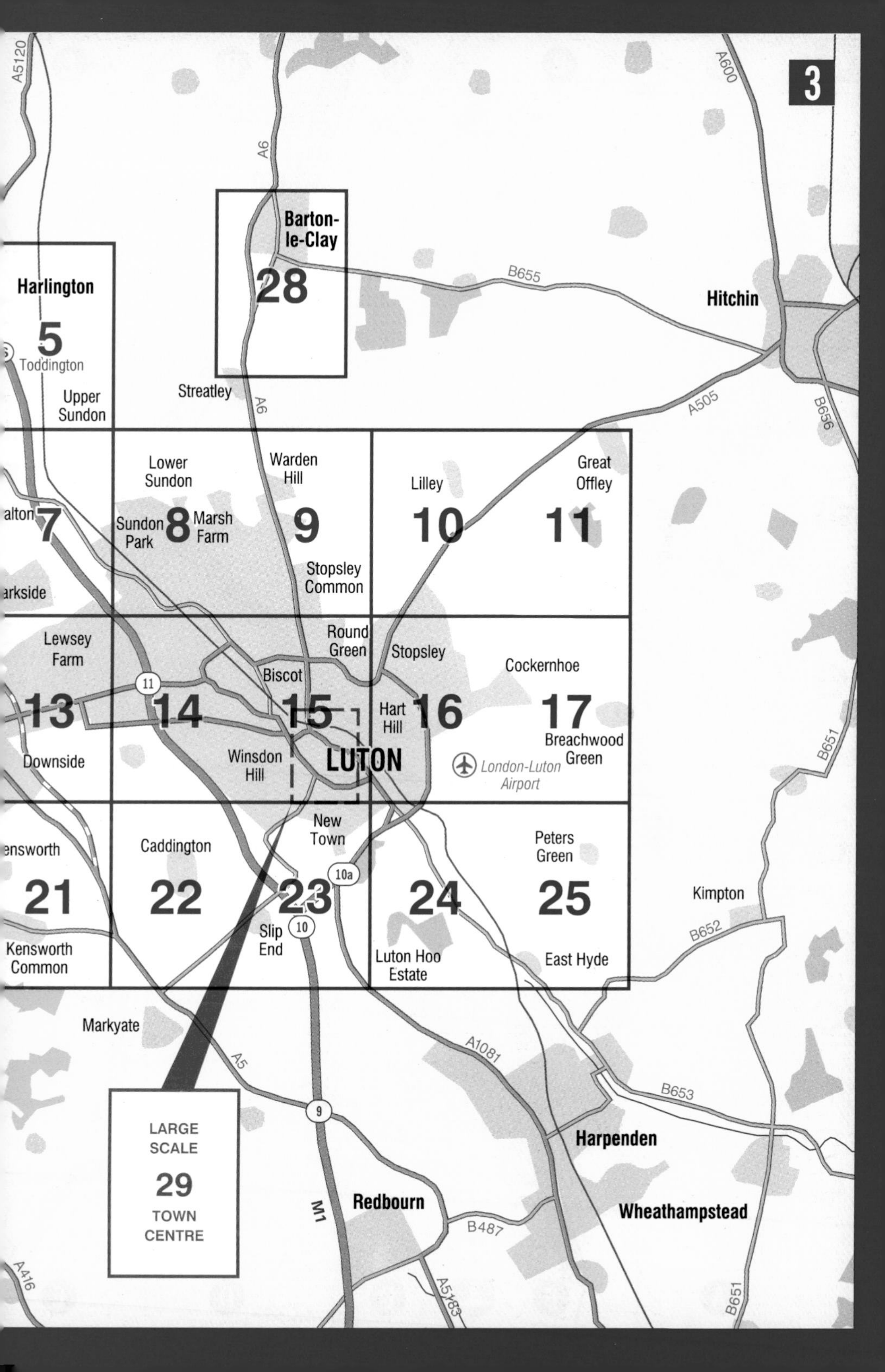

Harlington

5

Toddington

Upper
Sundon

Barton-
le-Clay

28

Streatley

B655

Hitchin

A505

Lower
Sundon

Warden
Hill

Lilley

Great
Offley

Sundon
Park

8

Marsh
Farm

9

10

11

alton **7**

arkside

Stopsley
Common

Lewsey
Farm

Round
Green

Stopsley

Cockernhoe

Biscot

13

14

15

Hart
Hill

16

17

Downside

Winsdon
Hill

LUTON

London-Luton
Airport

Breachwood
Green

New
Town

Caddington

Peters
Green

Kimpton

ensworth

21

22

23

24

25

Kensworth
Common

Slip
End

Luton Hoo
Estate

East Hyde

B652

Markyate

LARGE
SCALE

29

TOWN
CENTRE

Redbourn

Harpenden

Wheathampstead

B487

B653

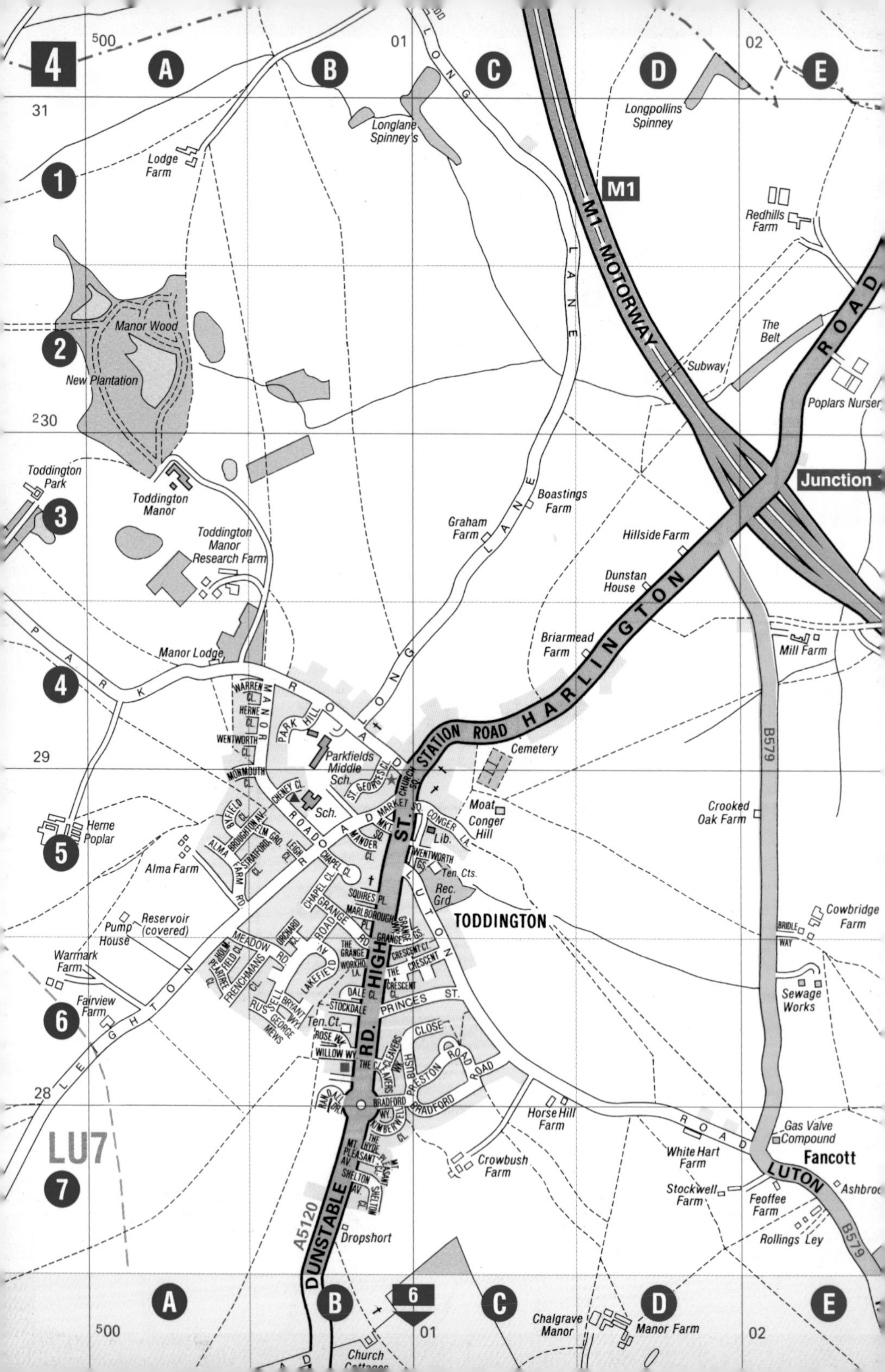
4
A
B
C
D
E
500
01
02
31
230
29
28
1
2
3
4
5
6
7
Longlane Spinney's
Longpollins Spinney
Lodge Farm
M1
M1 MOTORWAY
Redhills Farm
Manor Wood
New Plantation
LONG LANE
The Belt
Subway
Poplars Nursery
Toddington Park
Toddington Manor
Toddington Manor Research Farm
Junction
Boastings Farm
Graham Farm
Hillside Farm
Dunstan House
Briarmead Farm
Mill Farm
Manor Lodge
PARK ROAD
MANOR ROAD
HARLINGTON ROAD
STATION ROAD
Cemetery
Parkfields Middle Sch.
Sch.
Herne Poplar
Alma Farm
Moat
Conger Hill
Lib.
Ten. Cts.
Rec. Grd
Crooked Oak Farm
B579
TODDINGTON
Cowbridge Farm
BRIDLE WAY
Reservoir (covered)
Pump House
Warmark Farm
Fairview Farm
LEIGHTON ROAD
HIGH ST.
Ten. Ct.
Sewage Works
PRINCES ST.
PRESTON ROAD
LUTON ROAD
Horse Hill Farm
Gas Valve Compound
Fancott
White Hart Farm
Stockwell Farm
Feoffee Farm
Ashbrook
Rollings Ley
Crowbush Farm
LU7
A5120
DUNSTABLE RD.
Dropshort
6
Chalgrave Manor
Manor Farm
Church Cottages

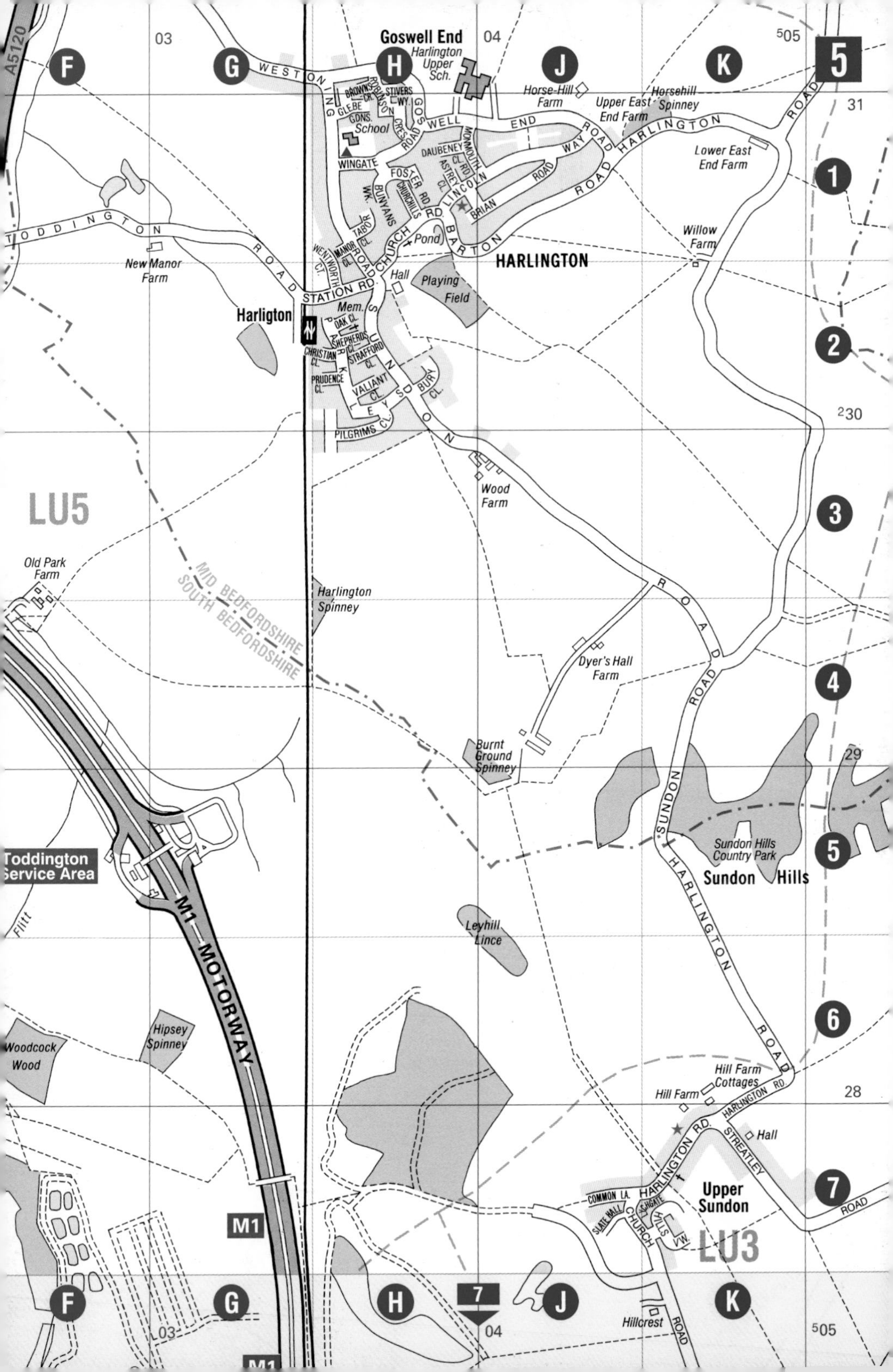
5
Goswell End
Harlington Upper Sch.
School
Horse-Hill Farm
Upper East End Farm
Horsehill Spinney
Lower East End Farm
Willow Farm
HARLINGTON
New Manor Farm
Harligton
Playing Field
Hall
Pond
Mem.
Wood Farm
LU5
Old Park Farm
Harlington Spinney
MID BEDFORDSHIRE
SOUTH BEDFORDSHIRE
Dyer's Hall Farm
Burnt Ground Spinney
Toddington Service Area
M1 MOTORWAY
Sundon Hills Country Park
Sundon Hills
Leyhill Lince
Hipsey Spinney
Woodcock Wood
Hill Farm
Hill Farm Cottages
Hall
Upper Sundon
LU3
Hillcrest
M1
A5120
WESTONING
TODDINGTON ROAD
STATION RD.
GOSWELL END ROAD
HARLINGTON ROAD
BARTON ROAD
SUNDON ROAD
HARLINGTON ROAD
HARLINGTON RD.
STREATLEY ROAD
COMMON LA.
CHURCH RD.
LINCOLN WAY
BRIAN ROAD
SUNDON HILLS VW.
SLATE HALL
CHURCH
LEYS CL.
PILGRIMS CL.
PRUDENCE CL.
CHRISTIAN CL.
VALIANT CL.
STRAFFORD CL.
SHEPHERDS CL.
OAK CL.
PARK
DUNSBURY CL.
MANOR CL.
WENTWORTH CL.
TABOR CL.
BUNYANS WK.
FOSTER RD.
CHURCHILLS
WINGATE
GLEBE GDNS.
BROWNS CR.
ROBINSON CRES.
STIVERS WY.
DAUBENEY CL.
MONMOUTH RD.
ASTREY CL.
F G H J K
1 2 3 4 5 6 7
03 04 505
31 230 29 28
7
Flitt

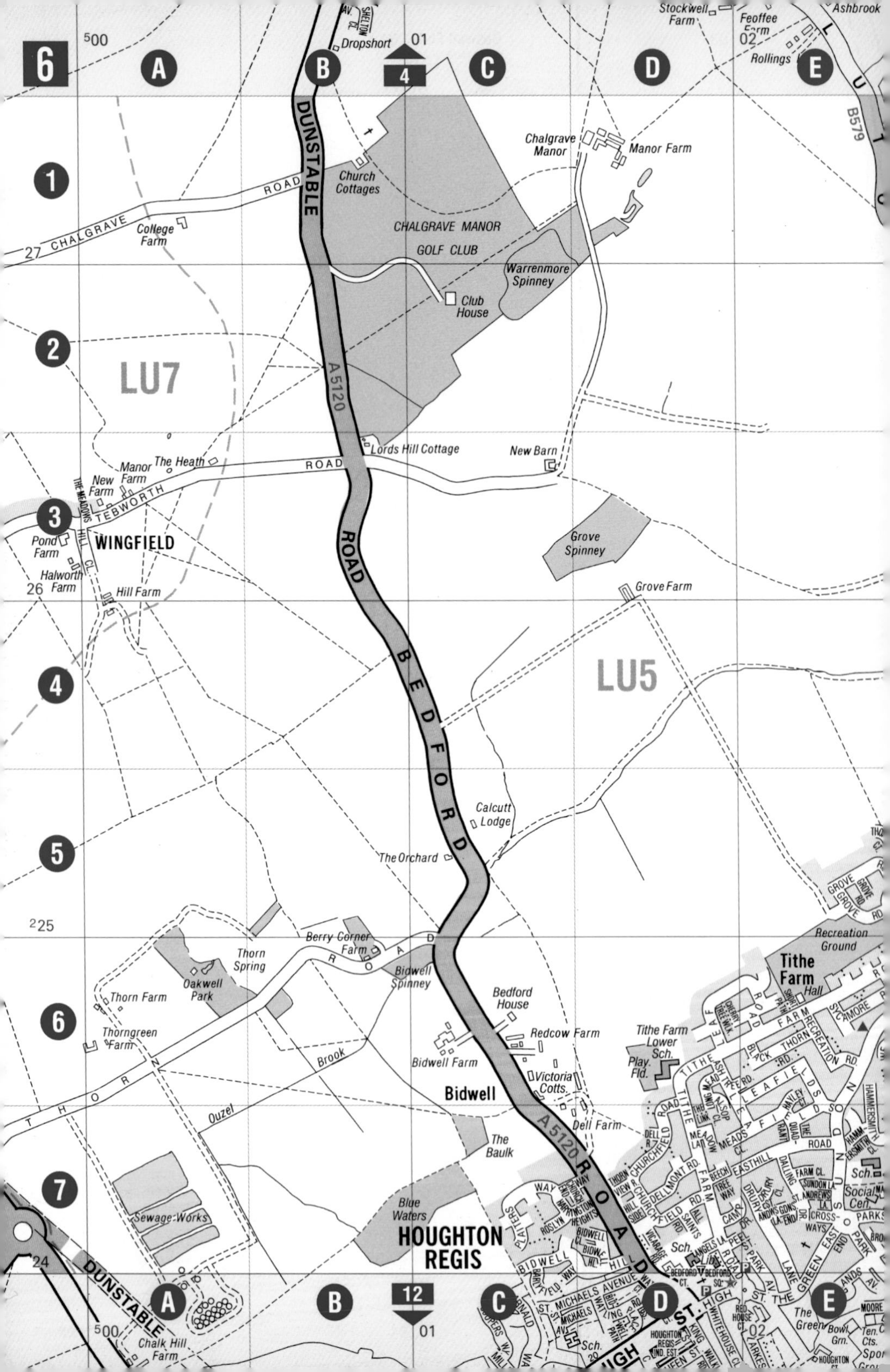

Dropshort
Stockwell Farm
Feoffee Farm
Ashbrook
Rollings
4
Chalgrave Manor
Manor Farm
Church Cottages
CHALGRAVE ROAD
College Farm
DUNSTABLE
CHALGRAVE MANOR GOLF CLUB
Warrenmore Spinney
Club House
B579
LU7
A5120
Lords Hill Cottage
New Barn
The Heath
Manor Farm
New Farm
TEBWORTH ROAD
THE MEADOWS
WINGFIELD
Pond Farm
Halworth Farm
Hill Farm
Grove Spinney
Grove Farm
ROAD
BEDFORD
LU5
Calcutt Lodge
The Orchard
Berry Corner Farm
ROAD
Thorn Spring
Bidwell Spinney
Oakwell Park
Thorn Farm
Thorngreen Farm
Bedford House
Redcow Farm
Bidwell Farm
Victoria Cotts.
Bidwell
Brook
Ouzel
THORN
Dell Farm
The Baulk
A5120
ROAD
Recreation Ground
Tithe Farm
Hall
Tithe Farm Lower Sch.
Play Fld.
GROVE RD
Sewage Works
Blue Waters
HOUGHTON REGIS
DUNSTABLE
Chalk Hill Farm
12
HIGH ST.
THE GREEN
The Green
Bowl. Grn.
Sch.
Social Cen.

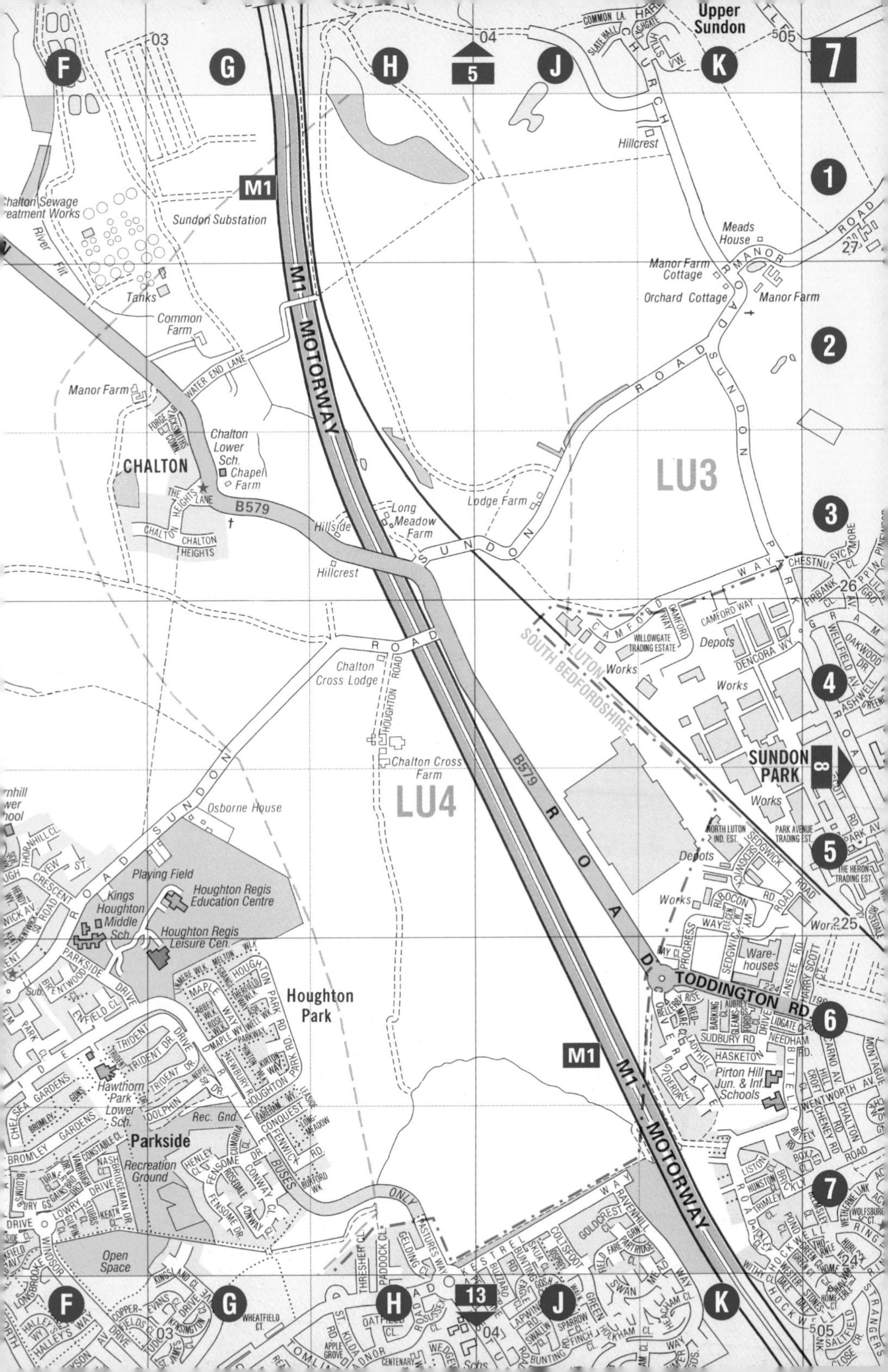

7
5
13
8
F
G
H
J
K
1
2
3
4
5
6
7
03
04
05
Upper Sundon
COMMON LA.
CHURCH
Hillcrest
M1
Chalton Sewage Treatment Works
Sundon Substation
River Flit
Tanks
Common Farm
WATER END LANE
Manor Farm
CHALTON
Chalton Lower Sch.
Chapel Farm
THE LANE
CHALTON HEIGHTS
B579
Hillside
Long Meadow Farm
Hillcrest
M1 MOTORWAY
SUNDON ROAD
Lodge Farm
LU3
Meads House
MANOR ROAD
Manor Farm Cottage
Orchard Cottage
Manor Farm
SUNDON PARK ROAD
CHESTNUT
SYCAMORE
FIRBANK CL.
CAMFORD WAY
WILLOWGATE TRADING ESTATE
Depots
DENCORA WY.
Works
LUTON
SOUTH BEDFORDSHIRE
SUNDON PARK
ROAD
Chalton Cross Lodge
HOUGHTON ROAD
Chalton Cross Farm
LU4
B579 ROAD
Osborne House
SUNDON ROAD
NORTH LUTON IND. EST.
PARK AVENUE TRADING EST.
SEDGWICK ROAD
THE HERON TRADING EST.
Playing Field
Houghton Regis Education Centre
Kings Houghton Middle Sch.
Houghton Regis Leisure Cen.
CRESCENT
PARKSIDE DRIVE
Houghton Park
TODDINGTON RD.
PROGRESS WAY
Ware-houses
ANSTEE RD.
HARRY SCOTT CT.
SUDBURY RD.
NEEDHAM RD.
HASKETON
Pirton Hill Jun. & Inf. Schools
WENTWORTH AV.
CHALTON ROAD
MONTAGUE
TRIDENT DR.
Hawthorn Park Lower Sch.
CHELSEA GARDENS
BROMLEY GARDENS
DOLPHIN
Rec. Gnd.
Parkside
Recreation Ground
BUSES ONLY
FENSOME DR.
CONWAY CL.
HOUGHTON PARK RD.
ENFIELD CL.
LOWRY DRIVE
WINDSOR
Open Space
KINGSLAND CL.
WHEATFIELD CT.
KESTREL WAY
RAVENHILL WAY
GOLDCREST
HALLEYS WAY
OATFIELD CL.
BOXTED
HOCKWELL RING
STRANGERS
SALTFIELD

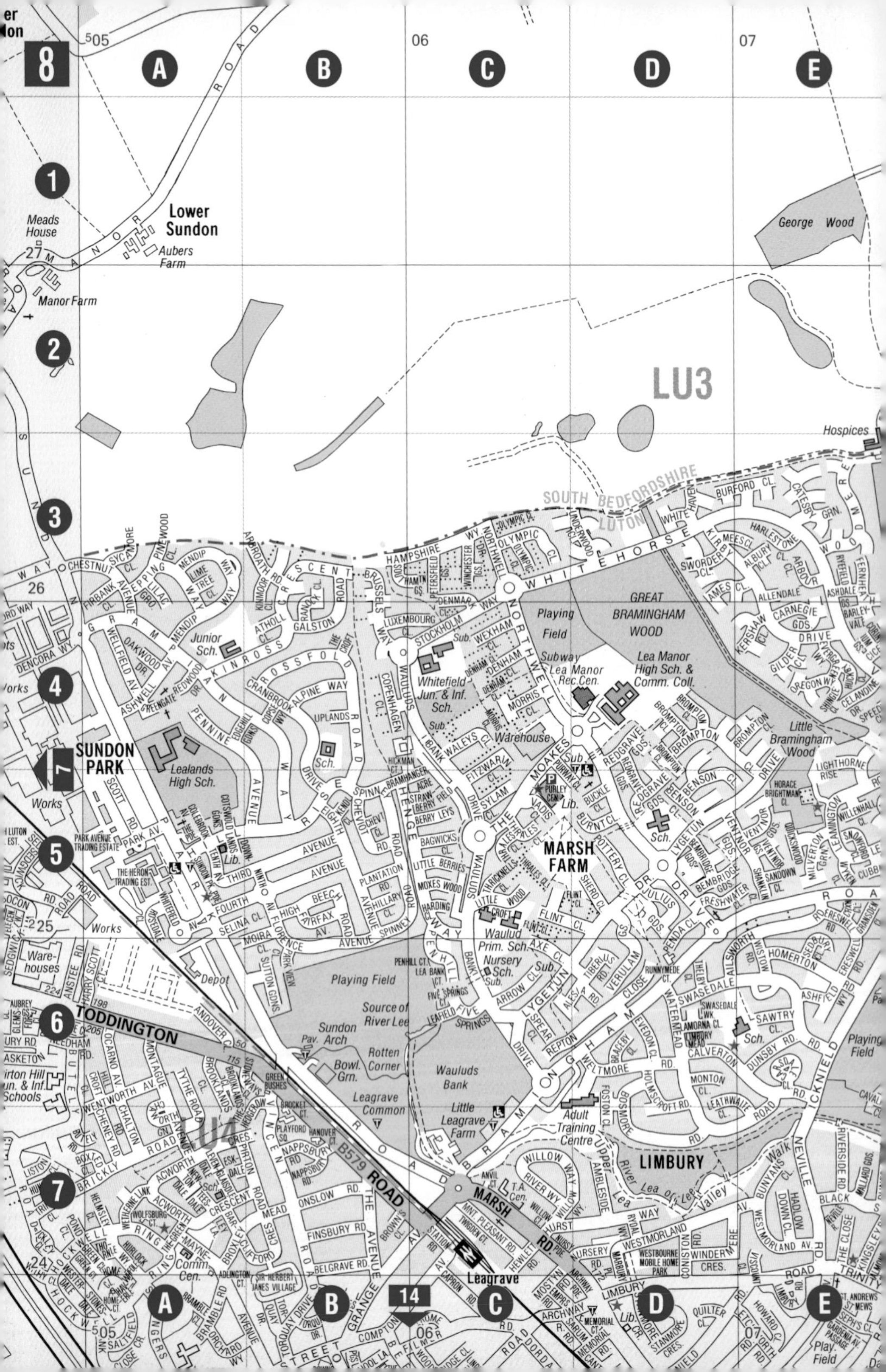

8
A
B
C
D
E
505
06
07
1
2
3
4
5
6
7
Meads House
Lower Sundon
Aubers Farm
Manor Farm
George Wood
LU3
Hospices
SOUTH BEDFORDSHIRE
LUTON
WHITEHORSE
GREAT BRAMINGHAM WOOD
Playing Field
Lea Manor Rec.Cen.
Lea Manor High Sch. & Comm. Coll.
Little Bramingham Wood
Junior Sch.
Whitefield Jun. & Inf. Sch.
Warehouse
SUNDON PARK
Lealands High Sch.
Works
PARK AVENUE TRADING ESTATE
THE HERON TRADING EST.
MARSH FARM
Waulud Prim. Sch.
Nursery Sch.
Ware-houses
Depot
TODDINGTON
Playing Field
Source of River Lee
Sundon Arch
Rotten Corner
Bowl. Grn.
Leagrave Common
Wauluds Bank
Little Leagrave Farm
Adult Training Centre
LIMBURY
River Lea or Lee
LU4
B579 ROAD
MARSH RD.
Leagrave
WESTBOURNE MOBILE HOME PARK
Comm. Cen.
Lib.
Sch.
14
24
25
26
27

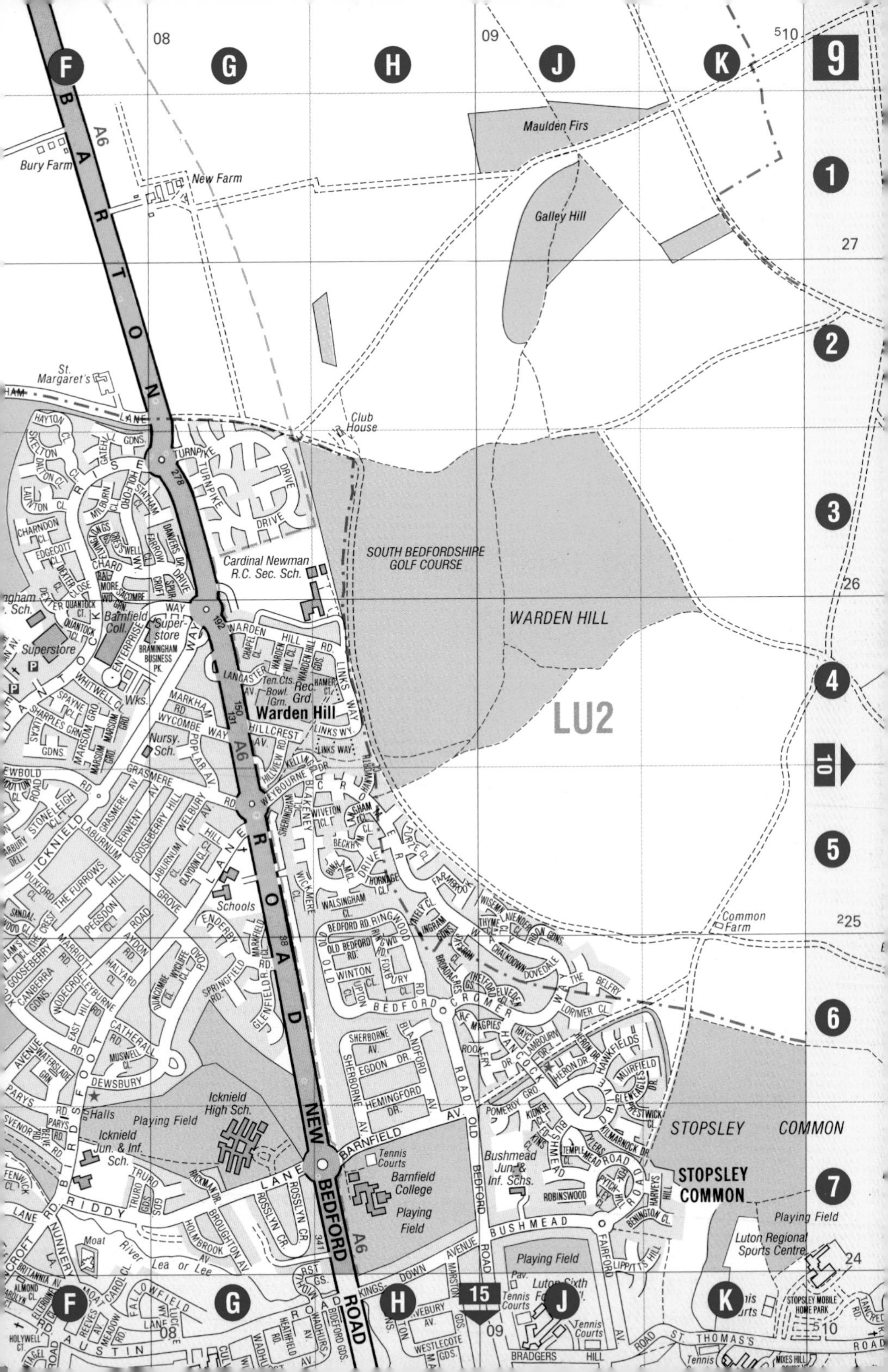

9
F
G
H
J
K
08
09
510
1
2
3
4
5
6
7
27
26
225
24
10
15
Bury Farm
New Farm
Maulden Firs
Galley Hill
St. Margaret's
Club House
BARTON
A6
SOUTH BEDFORDSHIRE GOLF COURSE
WARDEN HILL
LU2
Warden Hill
Cardinal Newman R.C. Sec. Sch.
Barnfield Coll.
Superstore
Super-store
BRAMINGHAM BUSINESS PK.
Wks.
Nursy. Sch.
Ten.Cts. Bowl. Grn.
Rec. Grd.
Schools
Common Farm
Halls
Icknield High Sch.
Playing Field
Icknield Jun. & Inf. Sch.
Tennis Courts
Barnfield College
Bushmead Jun. & Inf. Schs.
STOPSLEY COMMON
Luton Regional Sports Centre
STOPSLEY MOBILE HOME PARK
Moat
River Lea or Lee
NEW BEDFORD ROAD
BEDFORD ROAD
OLD BEDFORD ROAD
CROMER WAY
HANCOCK DRIVE
BARNFIELD AV.
BUSHMEAD ROAD
RIDDY LANE
ICKNIELD WAY
BIRDSFOOT LANE
ST. THOMAS'S ROAD
KINGSDOWN AVENUE
LINKS WAY
WARDEN HILL RD.
TURNPIKE DRIVE
LUTON

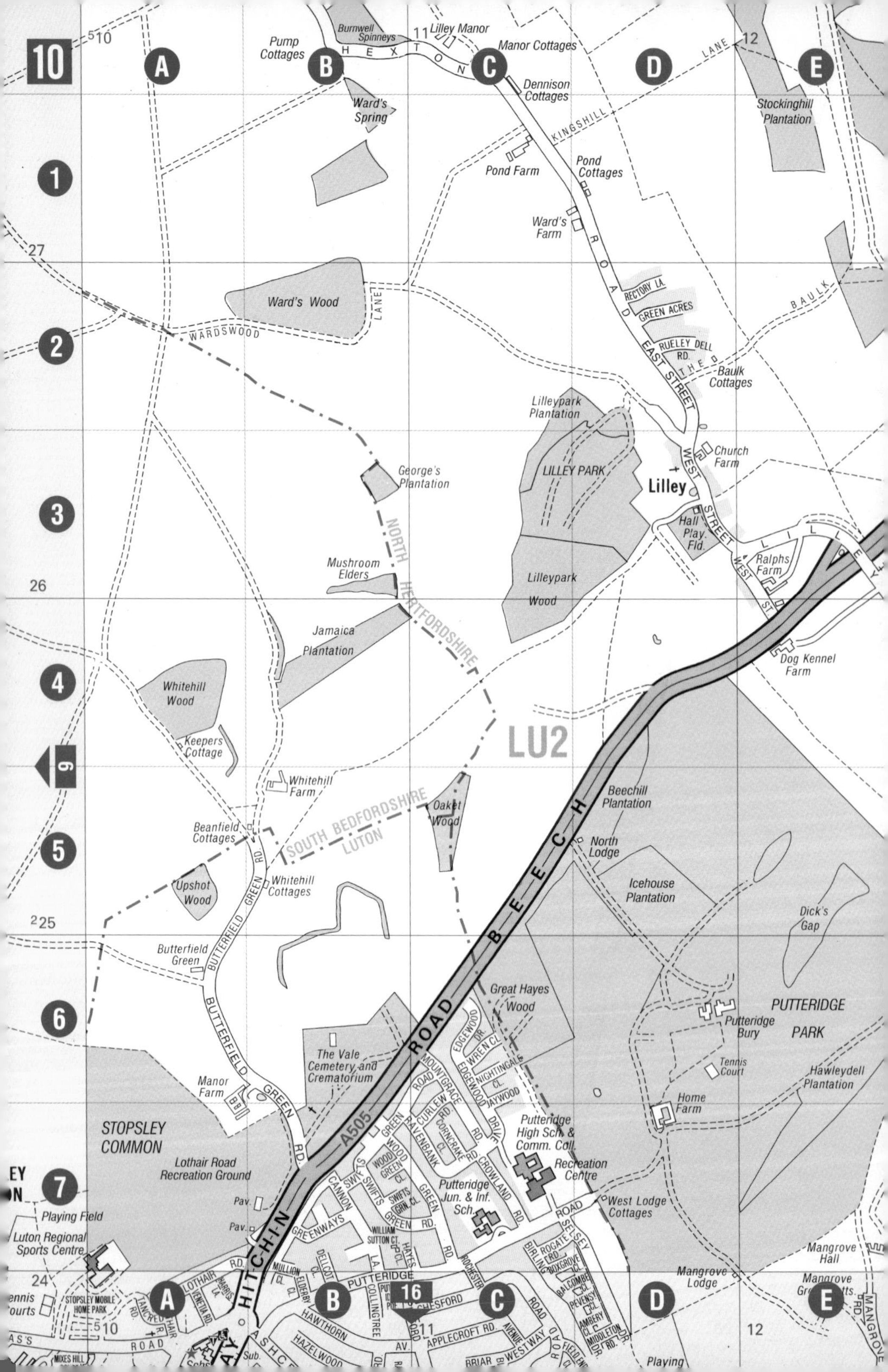

Burnwell Spinneys
Lilley Manor
Pump Cottages
HEXTON
Manor Cottages
Dennison Cottages
Ward's Spring
KINGSHILL LANE
Stockinghill Plantation
Pond Farm
Pond Cottages
Ward's Farm
ROAD
Ward's Wood
LANE
WARDSWOOD
RECTORY LA.
GREEN ACRES
RUELEY DELL RD.
THE BAULK
Baulk Cottages
EAST STREET
Lilleypark Plantation
Church Farm
George's Plantation
LILLEY PARK
Lilley
WEST STREET
Hall Play. Fld.
NORTH HERTFORDSHIRE
Mushroom Elders
Lilleypark Wood
Ralphs Farm
WEST ST.
LILLEY
Jamaica Plantation
Dog Kennel Farm
Whitehill Wood
LU2
Keepers Cottage
Whitehill Farm
Oaket Wood
Beechill Plantation
SOUTH BEDFORDSHIRE
LUTON
Beanfield Cottages
North Lodge
Icehouse Plantation
Upshot Wood
Whitehill Cottages
BUTTERFIELD GREEN RD.
Dick's Gap
BEECH ROAD
Butterfield Green
Great Hayes Wood
PUTTERIDGE PARK
Putteridge Bury
The Vale Cemetery and Crematorium
EDGEWOOD DR.
WREN CL.
MOUNTGRACE ROAD
EDGEWOOD
NIGHTINGALE CL.
Tennis Court
Hawleydell Plantation
Manor Farm
A505
CURLEW
JAYWOOD
Home Farm
STOPSLEY COMMON
Putteridge High Sch. & Comm. Coll.
Recreation Centre
Lothair Road Recreation Ground
RAVENBANK
CORNCRAKE CL.
DRIVE
CROWLAND RD.
SWIFTS
WOOD GREEN CL.
CANNON
Putteridge Jun. & Inf. Sch.
West Lodge Cottages
Playing Field
HITCHIN
GREENWAYS
GREEN RD.
ROAD
Pav.
Luton Regional Sports Centre
WILLIAM SUTTON CT.
SELSEY
ROGATE RD.
BIRLING
Mangrove Hall
Mangrove Lodge
DELLCOT CL.
MULLION CL.
HAYES
ROCHESTER
BOXGROVE CL.
BALCOMBE CL.
Mangrove Green Cotts.
LOTHAIR RD.
HARRIS LA.
VENETIA RD.
ELDERBY
PUTTERIDGE
COLLINGTREE
CHESFORD
PEVENSEY CL.
AMBERY CL.
MIDDLETON RD.
MANGROVE RD.
STOPSLEY MOBILE HOME PARK
TANCRED RD.
HAWTHORN
APPLECROFT RD.
AVENUE
WEST WAY
ROAD
ASHCROFT
HAZELWOOD
AV.
BRIAR
MIXES HILL
Sub.
Playing
Tennis Courts

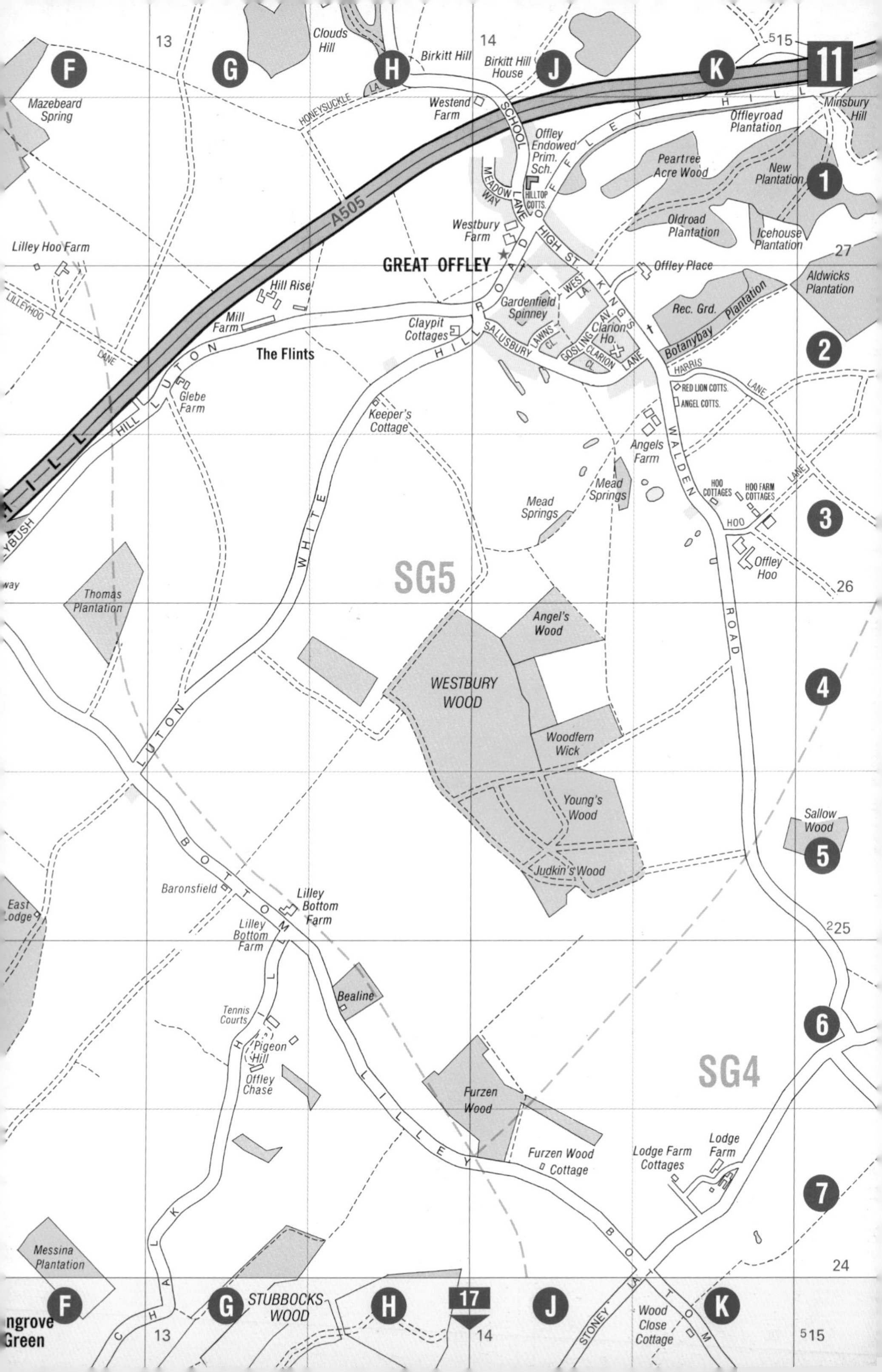
11
GREAT OFFLEY
SG5
SG4
A505
Clouds Hill
Birkitt Hill
Birkitt Hill House
Mazebeard Spring
Westend Farm
Offley Endowed Prim. Sch.
Offleyroad Plantation
Minsbury Hill
Peartree Acre Wood
New Plantation
Oldroad Plantation
Icehouse Plantation
Westbury Farm
Lilley Hoo Farm
Offley Place
Aldwicks Plantation
Hill Rise
Mill Farm
Gardenfield Spinney
Rec. Grd.
Botanybay Plantation
Claypit Cottages
Clarion Ho.
The Flints
Glebe Farm
Red Lion Cotts.
Angel Cotts.
Keeper's Cottage
Angels Farm
Mead Springs
Hoo Cottages
Hoo Farm Cottages
Offley Hoo
Thomas Plantation
Angel's Wood
Westbury Wood
Woodfern Wick
Young's Wood
Sallow Wood
Judkin's Wood
Baronsfield
Lilley Bottom Farm
East Lodge
Bealine
Tennis Courts
Pigeon Hill
Offley Chase
Furzen Wood
Furzen Wood Cottage
Lodge Farm Cottages
Lodge Farm
Messina Plantation
Stubbocks Wood
Wood Close Cottage
Lingrove Green
Honeysuckle La.
School Lane
Meadow Way
Hilltop Cotts.
Offley Hill
High St.
West La.
Kings Lane
Lawns Cl.
Gosling Av.
Clarion Cl.
Salusbury Lane
Harris Lane
Hoo Lane
Walden Road
Luton Road
Hill Road
White Hill
Lilley Hoo Lane
Luton Hill
Hollybush
Lilley Bottom
Chalk Hill
Stoney La.
17

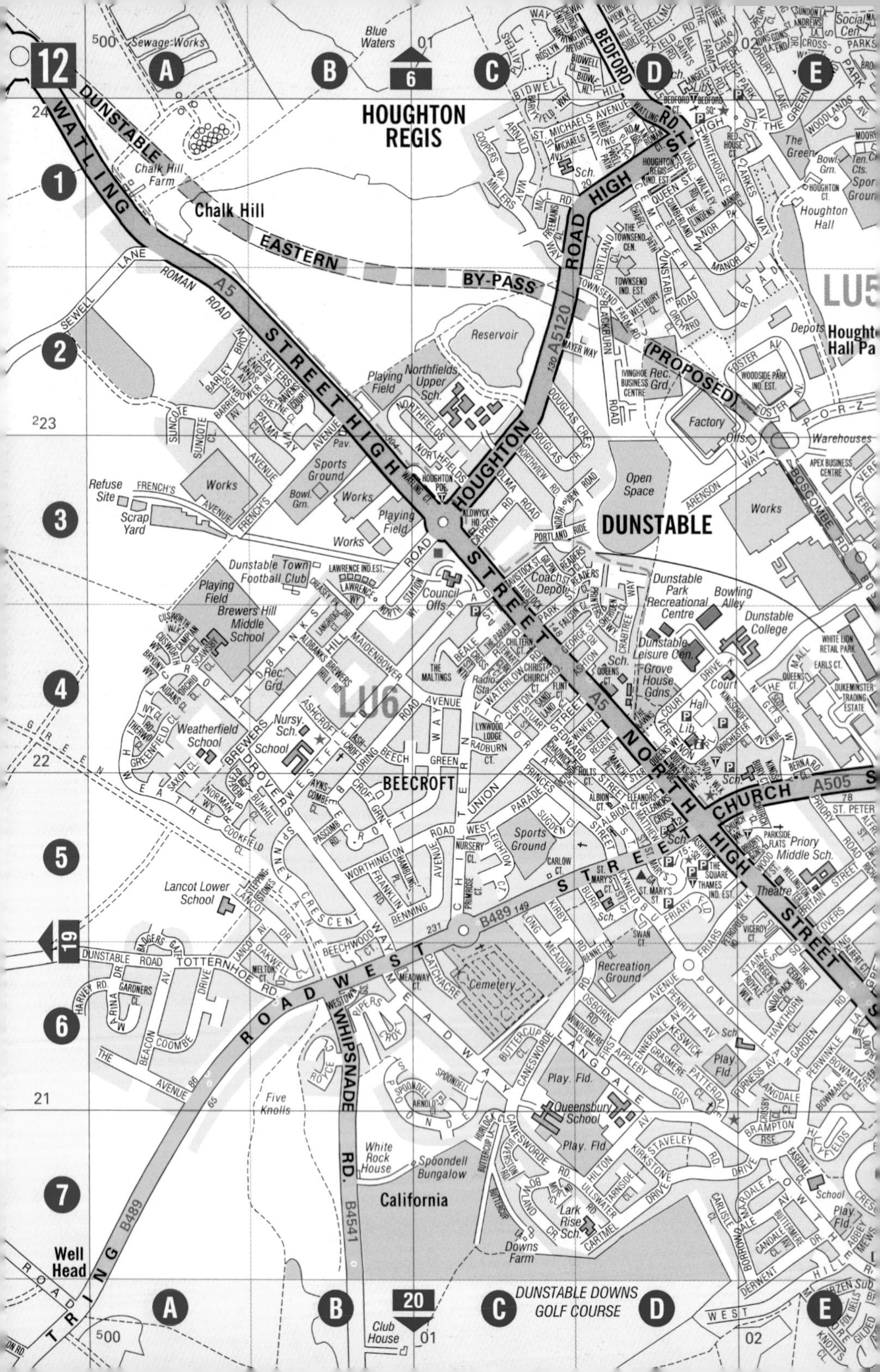
HOUGHTON
REGIS
DUNSTABLE
LU6
LU5
BEECROFT
California
Chalk Hill
Chalk Hill Farm
Sewage Works
Blue Waters
Reservoir
Open Space
Sports Ground
Playing Field
Northfields Upper Sch.
Dunstable Town Football Club
Brewers Hill Middle School
Weatherfield School
Lancot Lower School
Council Offs.
Coach Depot
Dunstable Park Recreational Centre
Bowling Alley
Dunstable College
Dunstable Leisure Cen.
Grove House Gdns.
Priory Middle Sch.
Recreation Ground
Cemetery
Queensbury School
Lark Rise Sch.
Five Knolls
White Rock House
Spoondell Bungalow
Downs Farm
Well Head
DUNSTABLE DOWNS GOLF COURSE
Club House
Refuse Site
Scrap Yard
Works
Factory
Warehouses
Houghton Hall
Depots
WATLING STREET
HIGH STREET
HIGH STREET NORTH
HOUGHTON ROAD
HIGH ROAD
DUNSTABLE EASTERN BY-PASS (PROPOSED)
WEST STREET
WEST ROAD
TRING ROAD
WHIPSNADE RD.
CHURCH ST.
BEDFORD
A5
A5120
A505
B489
B4541
6
19
20

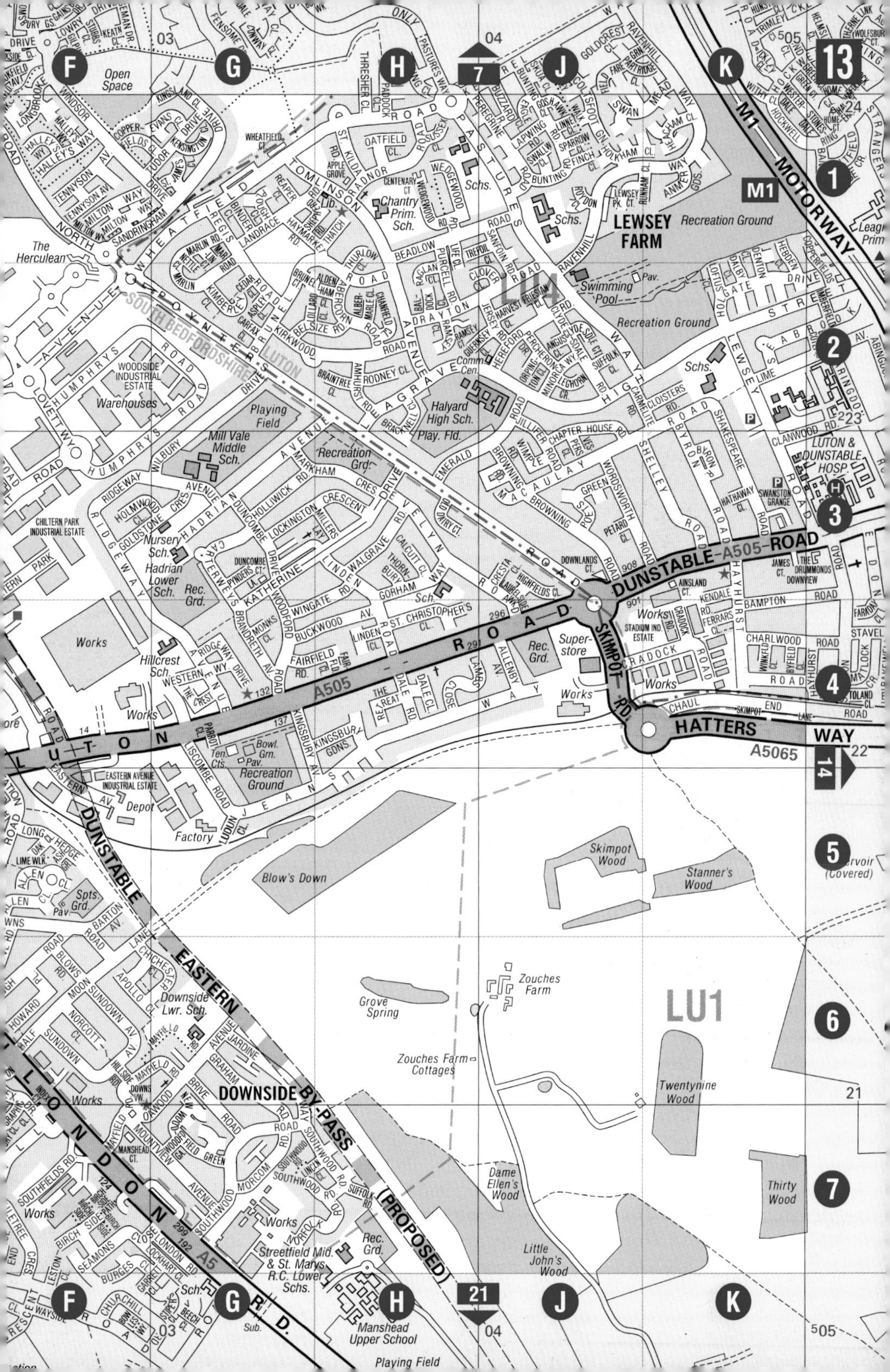
F
G
H
J
K
03
04
05
7
Open Space
LEWSEY FARM
Recreation Ground
M1
MOTORWAY
Schs.
Chantry Prim. Sch.
Lib.
Swimming Pool
Pav.
LU4
The Herculean
NORTH
SOUTH BEDFORDSHIRE
LUTON
WOODSIDE INDUSTRIAL ESTATE
Warehouses
Playing Field
Mill Vale Middle Sch.
Halyard High Sch.
Play. Fld.
Comm. Cen.
Recreation Grd.
LUTON & DUNSTABLE HOSP.
CHILTERN PARK INDUSTRIAL ESTATE
Nursery Sch.
Hadrian Lower Sch.
Rec. Grd.
Works
Hillcrest Sch.
DUNSTABLE A505 ROAD
LUTON ROAD
A505
Super-store
STADIUM IND. ESTATE
SKIMPOT RD.
HATTERS WAY
A5065
14
22
EASTERN AVENUE INDUSTRIAL ESTATE
Depot
Factory
Bowl. Grn.
Ten. Cts.
Recreation Ground
Blow's Down
Skimpot Wood
Stanner's Wood
Reservoir (Covered)
Grove Spring
Zouches Farm
Zouches Farm Cottages
LU1
Twentynine Wood
21
Thirty Wood
Dame Ellen's Wood
Little John's Wood
DUNSTABLE EASTERN BY-PASS (PROPOSED)
Downside Lwr. Sch.
DOWNSIDE
Spts. Grd.
LONDON RD.
A5
Streetfield Mid. & St. Marys R.C. Lower Schs.
Rec. Grd.
Manshead Upper School
Playing Field
Sch.
Sub.
1
2
3
4
5
6
7
505

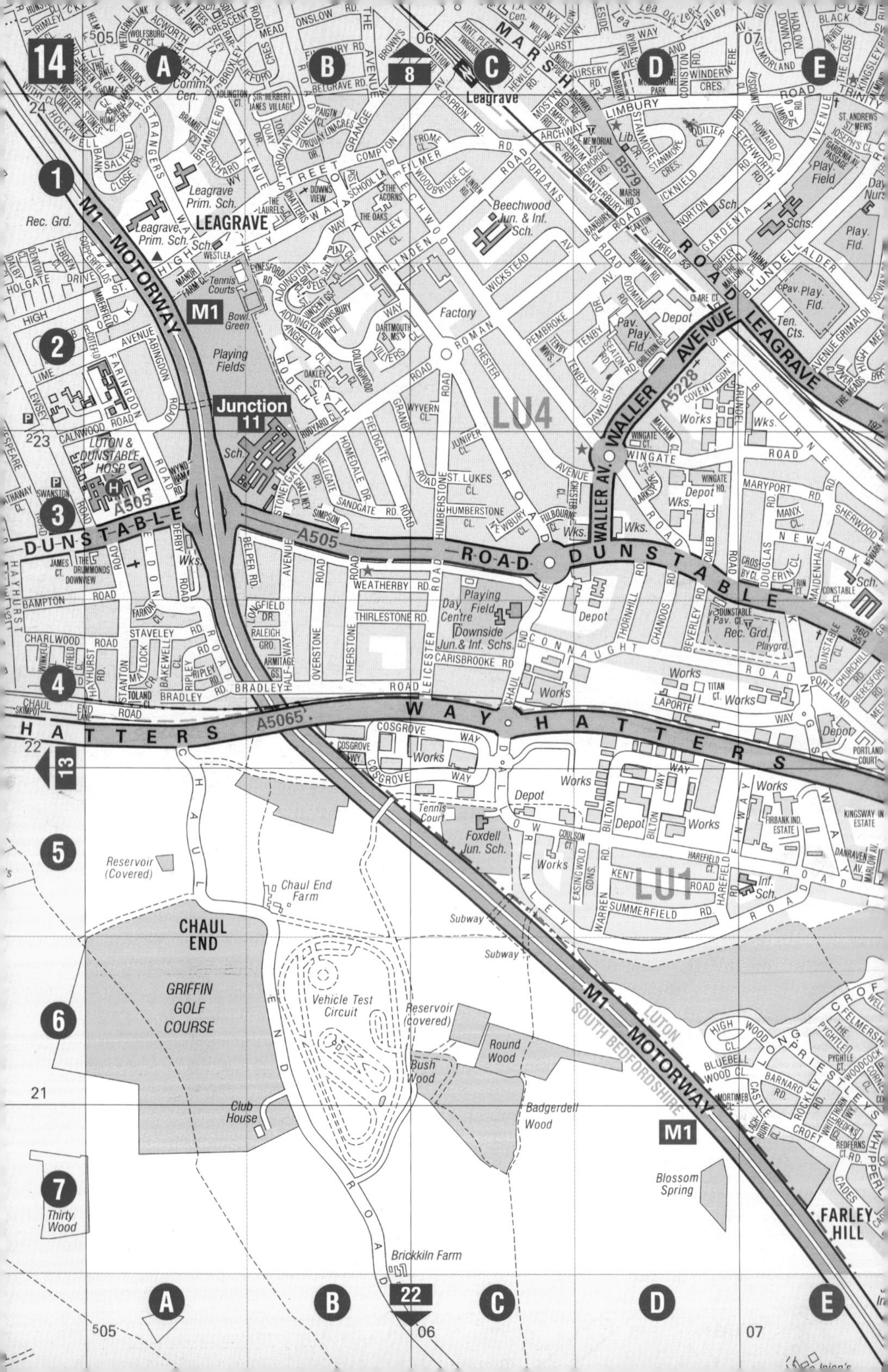
LEAGRAVE
Leagrave
M1 MOTORWAY
Junction 11
DUNSTABLE ROAD
A505
HATTERS WAY
A5065
LEAGRAVE ROAD
B579
WALLER AVENUE
A5228
MARSH ROAD
LU4
LU1
Luton & Dunstable Hosp.
Leagrave Prim. Sch.
Beechwood Jun. & Inf. Sch.
Downside Jun. & Inf. Schs.
Foxdell Jun. Sch.
Playing Fields
Factory
CHAUL END
GRIFFIN GOLF COURSE
Club House
Vehicle Test Circuit
Chaul End Farm
Reservoir (Covered)
Reservoir (covered)
Round Wood
Bush Wood
Badgerdell Wood
Blossom Spring
Brickkiln Farm
Thirty Wood
FARLEY HILL
LUTON
SOUTH BEDFORDSHIRE
8
13
22
A
B
C
D
E
1
2
3
4
5
6
7
05
06
07
21
22
23
24

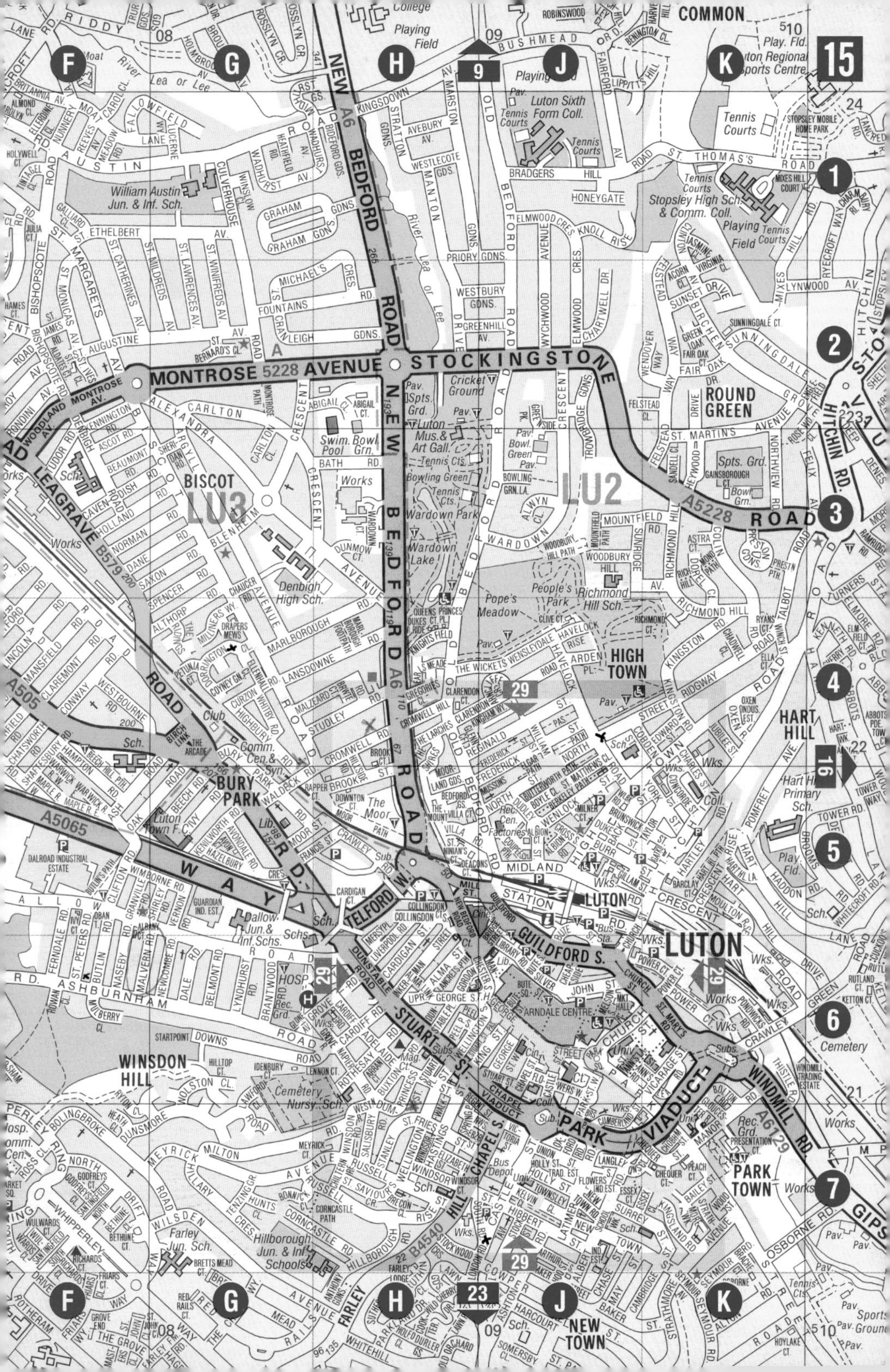

15
COMMON
Play. Fld.
Luton Regional Sports Centre
BUSHMEAD
Playing Field
Luton Sixth Form Coll.
Tennis Courts
BRADGERS HILL
HONEYGATE
ST. THOMAS'S ROAD
Stopsley High Sch. & Comm. Coll.
Playing Field
STOPSLEY MOBILE HOME PARK
MIXES HILL COURT
RYECROFT WAY
LYNWOOD AV.
KINGSDOWN AV.
STRATTON GDNS.
AVEBURY AV.
WESTLECOTE GDNS.
MARSTON GDNS.
MANTON DR.
PRIORY GDNS.
WESTBURY GDNS.
GREENHILL AV.
OLD BEDFORD ROAD
ELMWOOD CRES.
KNOLL RISE
WYCHWOOD AVENUE
CHARTWELL DR.
NEW BEDFORD ROAD
A6
River Lea or Lee
RIDDY LANE
Moat
River Lea or Lee
BRITANNIA AV.
MOAT LANE
FALLOWFIELD
AUSTIN ROAD
William Austin Jun. & Inf. Sch.
CULVERHOUSE
WINSLOW CL.
WADHURST AV.
GRAHAM GDNS.
ST. MICHAEL'S CRES.
FOUNTAINS RD.
CRANLEIGH GDNS.
ST. ETHELBERT AV.
ST. MARGARETS AV.
ST. CATHERINES AV.
ST. MILDREDS AV.
ST. LAWRENCES AV.
ST. WINIFREDS AV.
BISHOPSCOTE RD.
ST. AUGUSTINE AV.
MONTROSE 5228 AVENUE
STOCKINGSTONE ROAD
A5228
WOODLAND AV.
ALEXANDRA AV.
CARLTON CRESCENT
BISCOT
LU3
LU2
Swim. Pool
Bowl. Grn.
Cricket Ground
Luton Mus.& Art Gall.
Wardown Park
Wardown Lake
Tennis Cts.
Bowling Green
BATH RD.
Works
Denbigh High Sch.
ROUND GREEN
ST. MARTIN'S AVENUE
Spts. Grd.
GAINSBOROUGH CT.
MOUNTFIELD RD.
WARDOWN CRES.
Pope's Meadow
People's Park
Richmond Hill Sch.
RICHMOND HILL
HIGH TOWN
HAVELOCK RISE
ARDEN PL.
RIDGWAY
KINGSTON RD.
TALBOT ROAD
HITCHIN RD.
HART HILL
Hart Hill Primary Sch.
TOWER RD.
Play. Fld.
LEAGRAVE ROAD
B579
Works
A505
MARLBOROUGH RD.
LANSDOWNE
STUDLEY
CROMWELL RD.
BURY PARK
Comm. Cen.& Syn.
Luton Town F.C.
DALROAD INDUSTRIAL ESTATE
A5065
DALLOW ROAD
Dallow Jun.& Inf. Schs.
GUARDIAN IND. EST.
ASHBURNHAM RD.
The Moor
MIDLAND RD.
STATION
LUTON
LUTON
GUILDFORD ST.
ARNDALE CENTRE
TELFORD WAY
DUNSTABLE ROAD
HOSP.
STUART ST.
CRESCENT RD.
CHURCH ST.
WINSDON HILL
Cemetery
Cemetery Nursy. Sch.
DOWNS ROAD
MILTON AVENUE
PARK VIADUCT
WINDMILL RD.
A6129
PARK TOWN
Cemetery
WINDMILL TRADING ESTATE
Works
CRAWLEY GREEN RD.
Farley Jun. Sch.
Hillborough Jun. & Inf. Schools
B4540
HILLBOROUGH RD.
WHIPPERLEY RING
FARLEY
NEW TOWN
OSBORNE RD.
Sports Ground
GIPSY
29
9
16
23

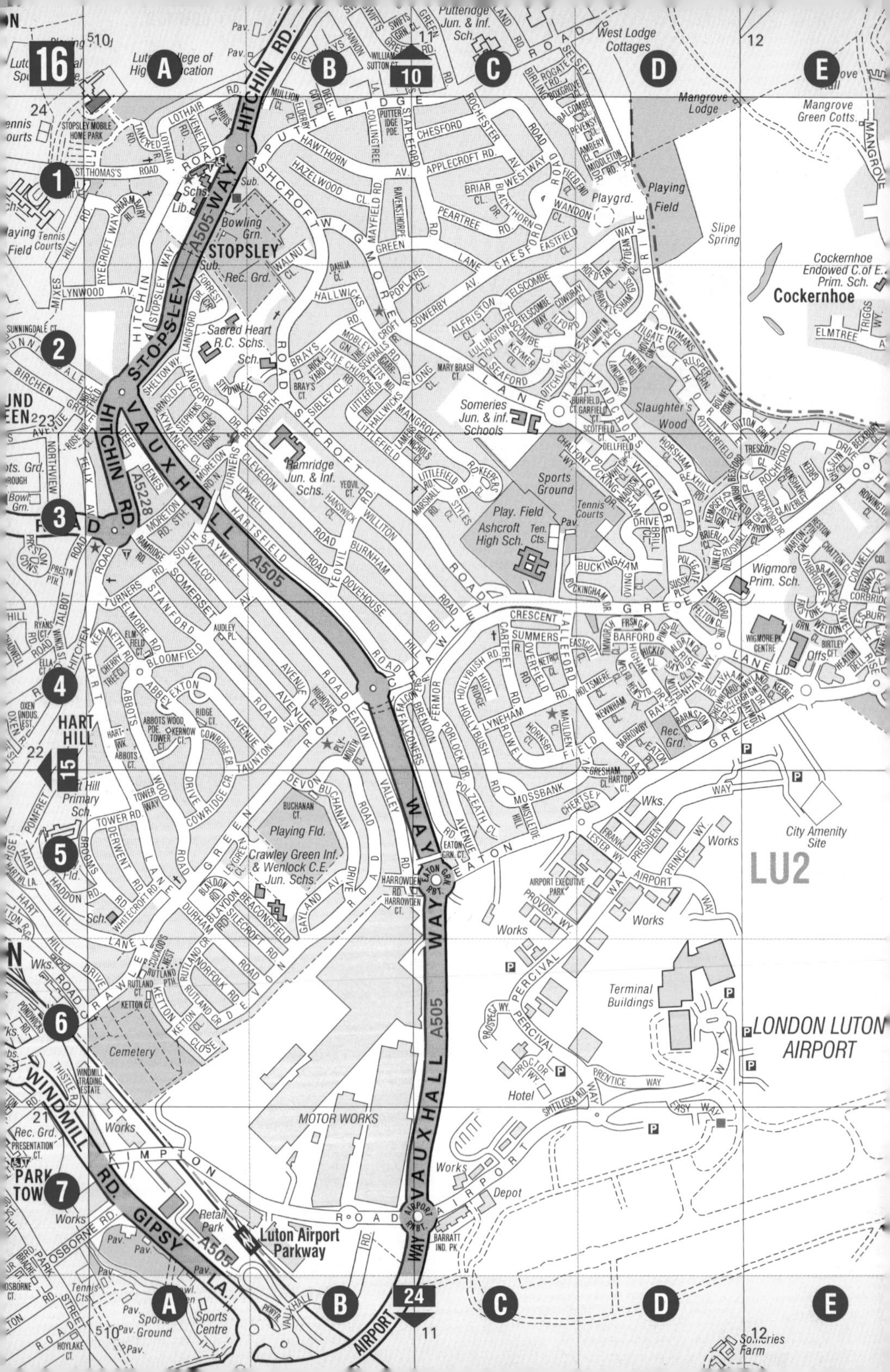

16
A
B
C
D
E
1
2
3
4
5
6
7
10
15
24
HITCHIN RD.
STOPSLEY
A505-WAY
VAUXHALL WAY
A505
A5228
Putteridge Jun. & Inf. Sch.
West Lodge Cottages
Mangrove Lodge
Mangrove Green Cotts.
Playing Field
Slipe Spring
Cockernhoe Endowed C.of E. Prim. Sch.
Cockernhoe
Bowling Grn.
Rec. Grd.
Sacred Heart R.C. Schs.
Someries Jun. & Inf. Schools
Slaughter's Wood
Ramridge Jun. & Inf. Schs.
Sports Ground
Play. Field
Ashcroft High Sch.
Tennis Courts
Wigmore Prim. Sch.
WIGMORE PK. CENTRE
HART HILL
Hart Hill Primary Sch.
Playing Fld.
Crawley Green Inf. & Wenlock C.E. Jun. Schs.
City Amenity Site
LU2
Works
AIRPORT EXECUTIVE PARK
Terminal Buildings
LONDON LUTON AIRPORT
Cemetery
WINDMILL TRADING ESTATE
MOTOR WORKS
Hotel
Depot
Retail Park
Luton Airport Parkway
BARRATT IND. PK
WINDMILL RD.
GIPSY LA.
KIMPTON ROAD
AIRPORT WAY
Sports Ground
Sports Centre
Someries Farm
PARK TOWN

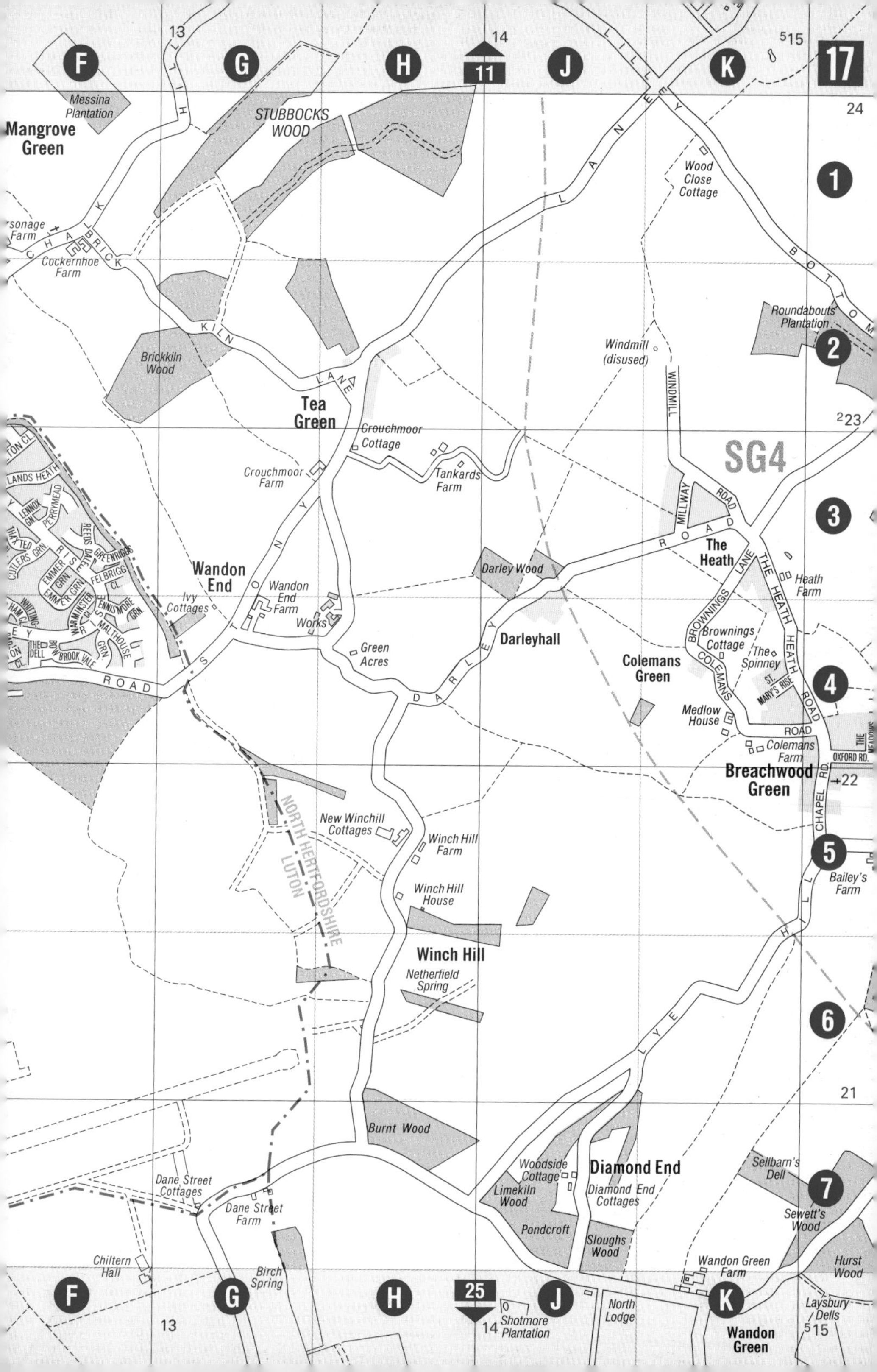
17
Mangrove Green
Messina Plantation
STUBBOCKS WOOD
Brickkiln Wood
Cockernhoe Farm
Tea Green
Crouchmoor Cottage
Crouchmoor Farm
Tankards Farm
Wandon End
Ivy Cottages
Wandon End Farm
Works
Green Acres
Darley Wood
Darleyhall
Windmill (disused)
Wood Close Cottage
Roundabouts Plantation
SG4
The Heath
Heath Farm
Brownings Cottage
The Spinney
Colemans Green
Medlow House
Colemans Farm
Breachwood Green
Bailey's Farm
New Winchill Cottages
Winch Hill Farm
Winch Hill House
Winch Hill
Netherfield Spring
NORTH HERTFORDSHIRE
LUTON
Burnt Wood
Woodside Cottage
Diamond End
Diamond End Cottages
Limekiln Wood
Pondcroft
Sloughs Wood
Sellbarn's Dell
Sewett's Wood
Hurst Wood
Wandon Green Farm
Wandon Green
Laysbury Dells
North Lodge
Shotmore Plantation
Dane Street Cottages
Dane Street Farm
Chiltern Hall
Birch Spring
LILLEY LANE
BOTTOM
KILN LANE
CHALK HILL
BRICK KILN
STONY LANE
DARLEY ROAD
WINDMILL ROAD
MILLWAY
BROWNINGS LANE
THE HEATH
HEATH ROAD
COLEMANS ROAD
ST. MARY'S RISE
CHAPEL RD.
OXFORD RD.
LYE HILL
ROAD
F G H J K
11
25
→22
1 2 3 4 5 6 7
13 14 515 24 223 21

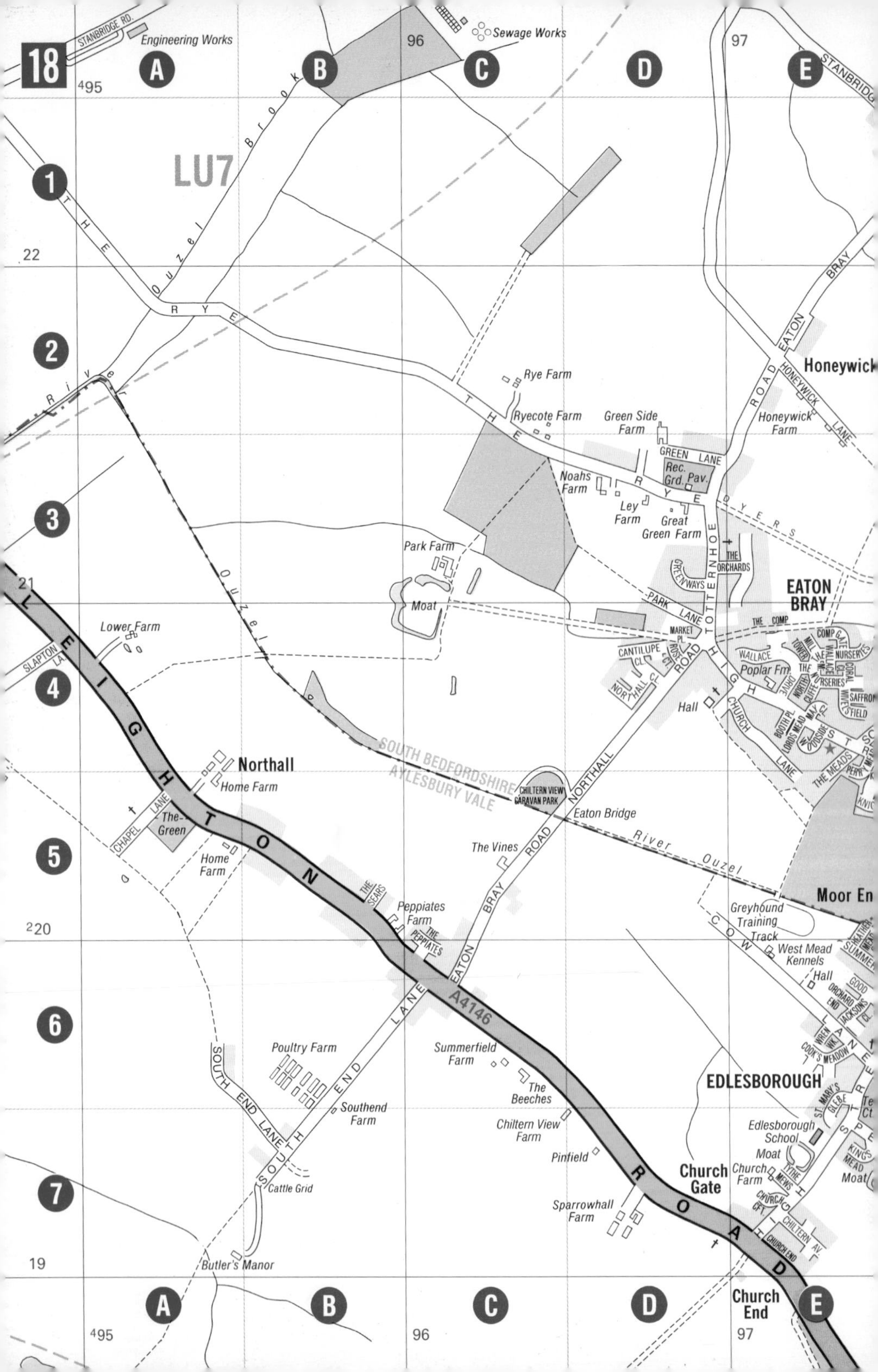

STANBRIDGE RD.
Engineering Works
Sewage Works
LU7
Ouzel Brook
THE RYE
River Ouzel
Rye Farm
Ryecote Farm
Green Side Farm
GREEN LANE
Rec. Grd. Pav.
Noahs Farm
Ley Farm
Great Green Farm
Park Farm
Moat
Lower Farm
SLAPTON LA.
LEIGHTON ROAD
A4146
Northall
Home Farm
CHAPEL LANE
The Green
Home Farm
THE SEARS
Peppiates Farm
THE PEPPIATES
SOUTH BEDFORDSHIRE
AYLESBURY VALE
CHILTERN VIEW CARAVAN PARK
Eaton Bridge
NORTHALL ROAD
EATON BRAY ROAD
The Vines
EATON LANE
Poultry Farm
Summerfield Farm
The Beeches
Chiltern View Farm
Pinfield
SOUTH END LANE
Southend Farm
Cattle Grid
Butler's Manor
Sparrowhall Farm
Church Gate
Church End
EATON BRAY
Honeywick
HONEYWICK LANE
Honeywick Farm
EATON BRAY ROAD
TOTTERNHOE ROAD
DYERS
THE ORCHARDS
GREENWAYS
PARK LANE
MARKET PL.
CANTILUPE CL.
ROSE CT.
NORTHALL CL.
THE COMP
HIGH STREET
Hall
Poplar Fm.
WALLACE
CHURCH LANE
BOOTH PL.
LORDS MEAD
WOODSIDE
THE MEADS
Moor End
Greyhound Training Track
COW LANE
West Mead Kennels
Hall
ORCHARD END
JACKSONS CL.
WREN WK.
COOK'S MEADOW
EDLESBOROUGH
ST. MARY'S GLEBE
Edlesborough School
Moat
Church Farm
TYTHE MEWS
CHURCH CFT.
CHILTERN AV.
CHURCH END
KINGS MEAD
Moat
A
B
C
D
E
1
2
3
4
5
6
7
495
96
97
22
21
220
19

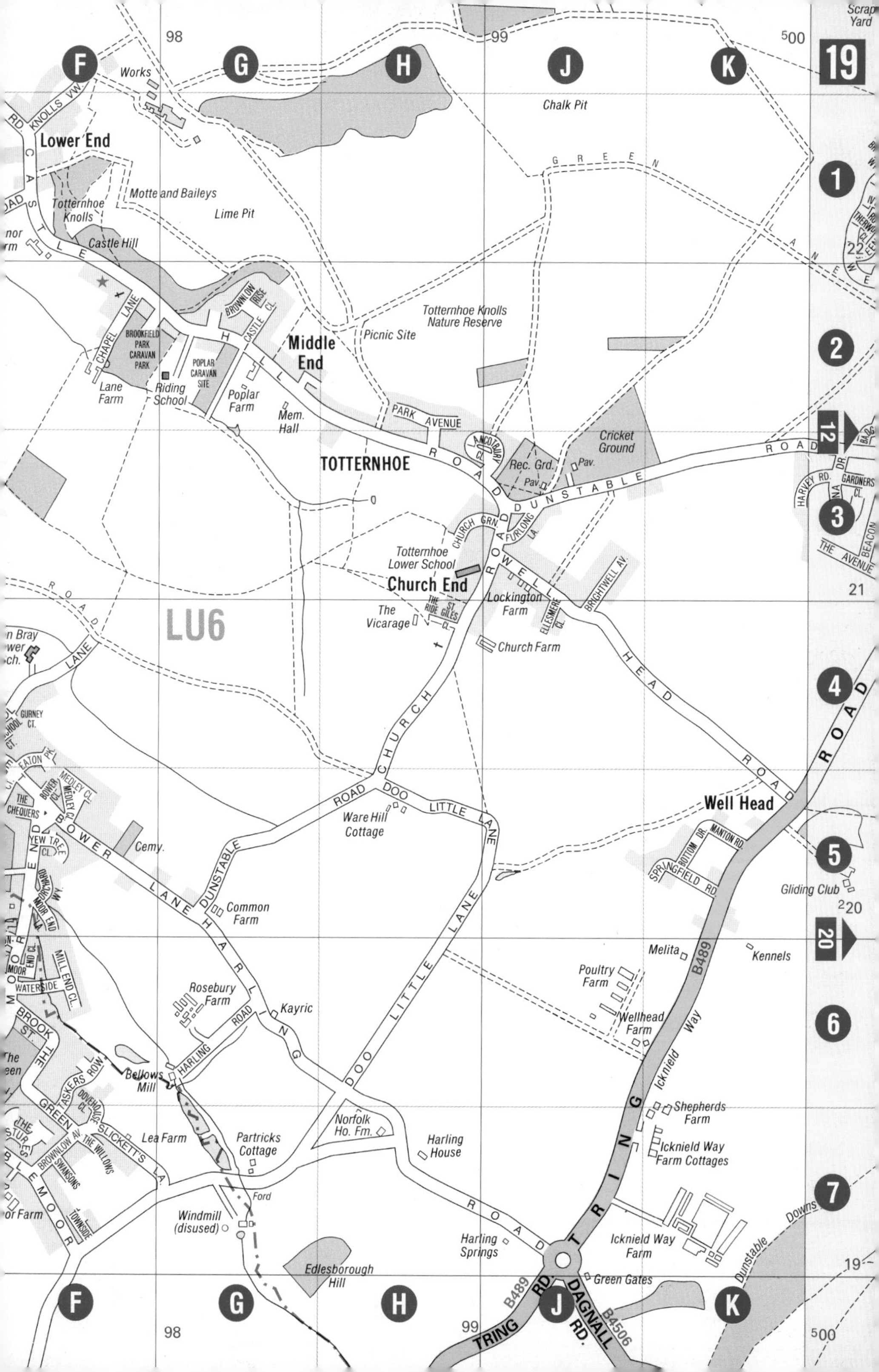
19
Lower End
Motte and Baileys
Totternhoe Knolls
Lime Pit
Castle Hill
Works
Chalk Pit
Totternhoe Knolls Nature Reserve
Picnic Site
Middle End
TOTTERNHOE
Brookfield Park Caravan Park
Poplar Caravan Site
Poplar Farm
Lane Farm
Riding School
Mem. Hall
Rec. Grd.
Cricket Ground
Pav.
Totternhoe Lower School
Church End
The Vicarage
Lockington Farm
Church Farm
LU6
Well Head
Ware Hill Cottage
Common Farm
Cemy.
Rosebury Farm
Kayric
Bellows Mill
Lea Farm
Partricks Cottage
Norfolk Ho. Fm.
Harling House
Windmill (disused)
Ford
Edlesborough Hill
Harling Springs
Melita
Kennels
Poultry Farm
Wellhead Farm
Shepherds Farm
Icknield Way Farm Cottages
Icknield Way Farm
Green Gates
Gliding Club
Dunstable Downs
Icknield Way
CASTLE HILL ROAD
DUNSTABLE ROAD
ROWELL HEAD ROAD
CHURCH ROAD
DOOLITTLE LANE
HARLING ROAD
DUNSTABLE ROAD
BOWER LANE
TRING ROAD
DAGNALL RD.
B489
B4506
GREEN LANE
PARK AVENUE
BROWNLOW RISE
CASTLE CL.
CHAPEL LANE
KNOLLS VW.
CHURCH GRN.
FURLONG LA.
LANCOTBURY CL.
BRIGHTWELL AV.
ELLESMERE CL.
THE RIDE
ST GILES CL.
MANTON RD.
BOTTOM DR.
SPRINGFIELD RD.
HARVEY RD.
GARDNERS CL.
THE AVENUE
BEACON
GURNEY CT.
EATON PK.
MEDLEY CL.
BOWER CL.
THE CHEQUERS
YEW TREE CL.
ORCHARD WY.
MOOR END
MILL END CL.
WATERSIDE
BROOK ST.
THE GREEN
TASKERS ROW
DOVEHOUSE CL.
SLICKETT'S LA.
BROWNLOW AV.
THE WILLOWS
SWANSONS
TOWNSIDE
Scrap Yard
98
99
500
22
21
20
19
12
20
F G H J K
1 2 3 4 5 6 7

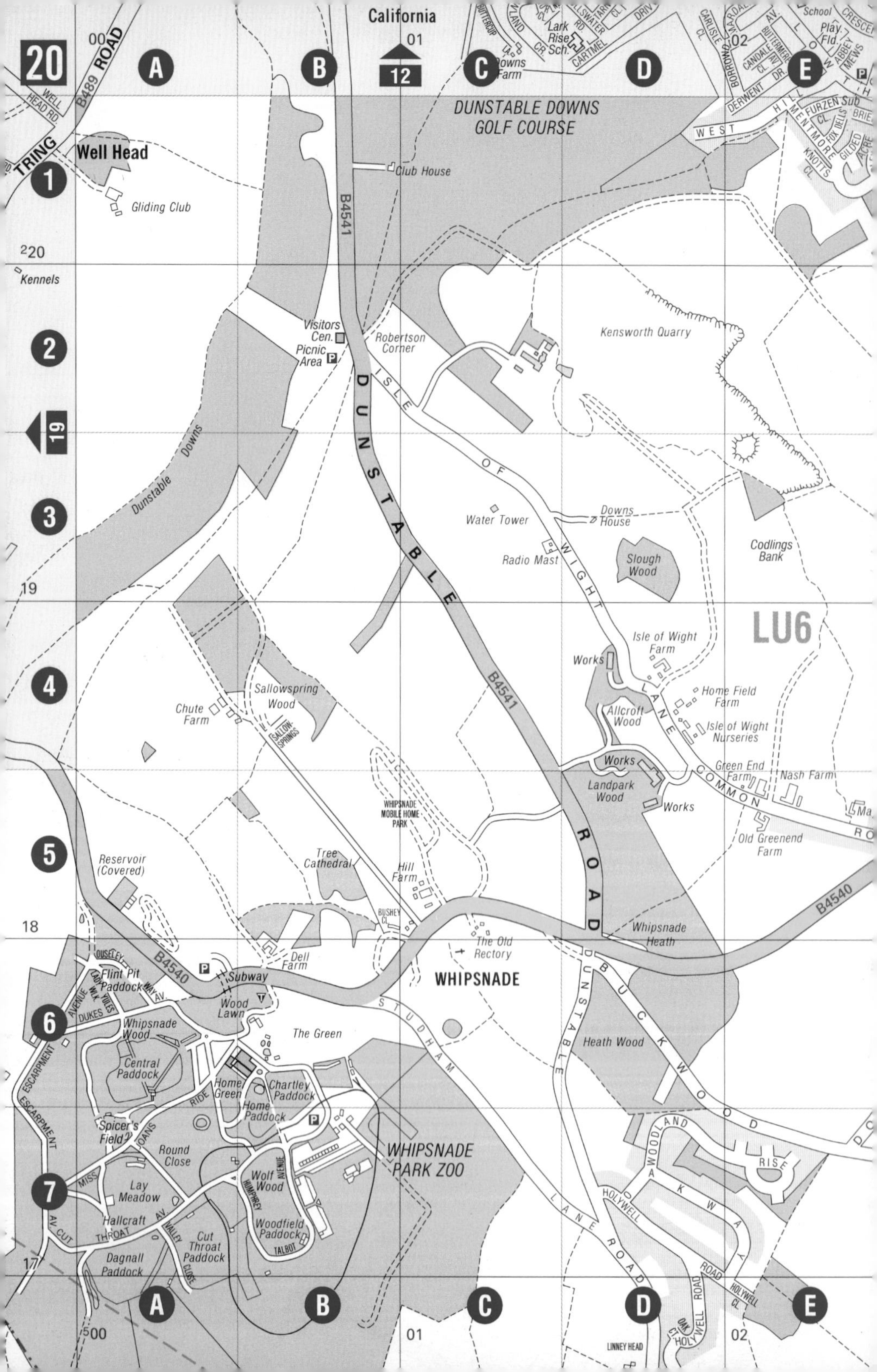
California
12
19
DUNSTABLE DOWNS GOLF COURSE
Well Head
Club House
Gliding Club
Kennels
Visitors Cen.
Picnic Area
Robertson Corner
Kensworth Quarry
Dunstable Downs
DUNSTABLE ROAD
B4541
ISLE OF WIGHT LANE
Water Tower
Downs House
Radio Mast
Slough Wood
Codlings Bank
LU6
Isle of Wight Farm
Works
Home Field Farm
Allcroft Wood
Isle of Wight Nurseries
Green End Farm
Nash Farm
Landpark Wood
COMMON ROAD
Old Greenend Farm
Sallowspring Wood
Chute Farm
WHIPSNADE MOBILE HOME PARK
Reservoir (Covered)
Tree Cathedral
Hill Farm
B4540
Whipsnade Heath
The Old Rectory
Dell Farm
Subway
WHIPSNADE
Wood Lawn
The Green
STUDHAM LANE
DUNSTABLE ROAD
BUCKWOOD ROAD
Heath Wood
Flint Pit Paddock
Whipsnade Wood
Central Paddock
Home Green
Chartley Paddock
Home Paddock
Spicer's Field
Round Close
WHIPSNADE PARK ZOO
Lay Meadow
Wolf Wood
Hallcraft
Woodfield Paddock
Cut Throat Paddock
Dagnall Paddock
ESCARPMENT
WOODLAND RISE
OAKWAY
HOLYWELL ROAD
HOLYWELL CL.
OAK CT.
LINNEY HEAD
TRING ROAD
B489 ROAD
WELL HEAD RD
WEST HILL
Lark Rise Sch.
Downs Farm
CARTMEL
DERWENT DR.
School
Play. Fld.
220
19
18
17
500
00
01
02

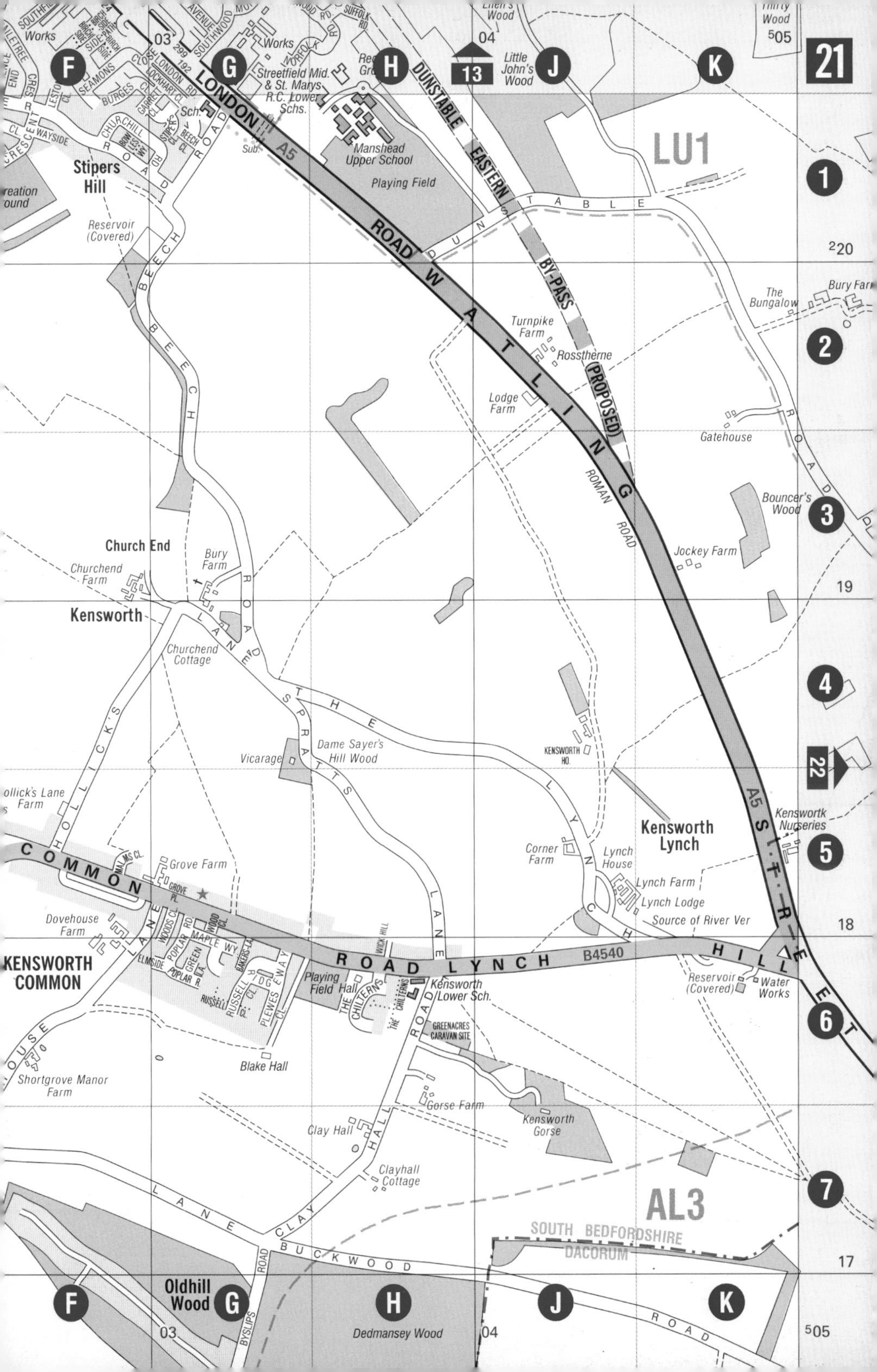

LU1
AL3
Stipers Hill
Reservoir (Covered)
Works
Streetfield Mid. & St. Marys R.C. Lower Schs.
Manshead Upper School
Playing Field
Little John's Wood
DUNSTABLE EASTERN BY-PASS (PROPOSED)
LONDON ROAD
WATLING STREET
A5
ROMAN ROAD
DUNSTABLE ROAD
The Bungalow
Bury Farm
Turnpike Farm
Rosstherne
Lodge Farm
Gatehouse
Bouncer's Wood
Jockey Farm
Church End
Churchend Farm
Kensworth
Churchend Cottage
BEECH ROAD
SPRATTS LANE
THE LYNCH
Dame Sayer's Hill Wood
Vicarage
KENSWORTH HO.
Kensworth Lynch
Kensworth Nurseries
Corner Farm
Lynch House
Lynch Farm
Lynch Lodge
Source of River Ver
HOLLICK'S LANE
Hollick's Lane Farm
COMMON ROAD
Grove Farm
Dovehouse Farm
KENSWORTH COMMON
LYNCH HILL
B4540
Reservoir (Covered)
Water Works
Playing Field
Hall
Kensworth Lower Sch.
GREENACRES CARAVAN SITE
Blake Hall
Shortgrove Manor Farm
Gorse Farm
Kensworth Gorse
Clay Hall
HALL ROAD
Clayhall Cottage
CLAY LANE
SOUTH BEDFORDSHIRE
DACORUM
BUCKWOOD ROAD
Oldhill Wood
Dedmansey Wood
BYSLIPS ROAD
13
22

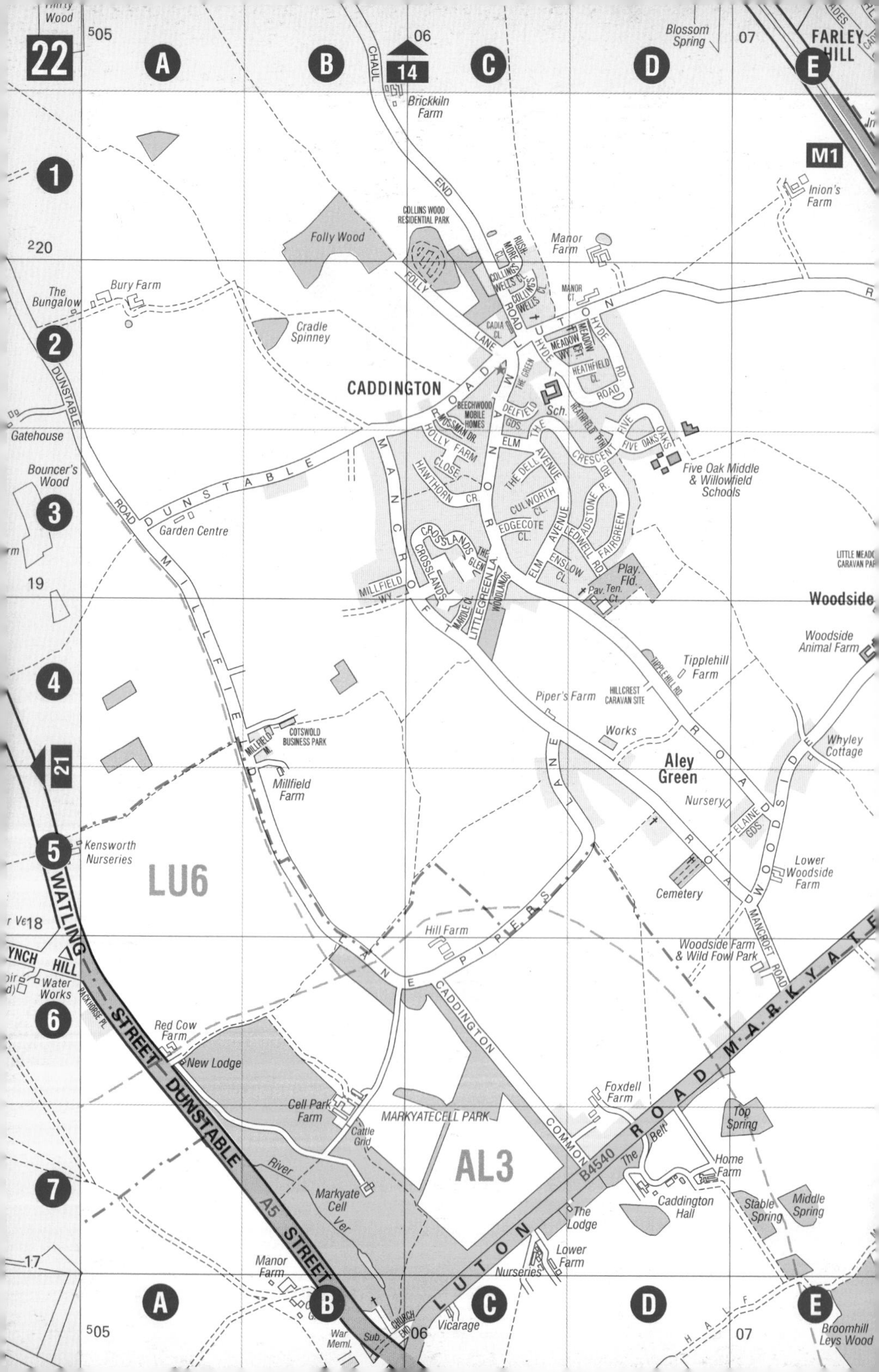

A
B
C
D
E
1
2
3
4
5
6
7
505
06
07
220
19
18
17
14
21
FARLEY HILL
M1
Blossom Spring
Brickkiln Farm
CHAUL END
COLLINS WOOD RESIDENTIAL PARK
Folly Wood
FOLLY LANE
Manor Farm
Inion's Farm
Bury Farm
The Bungalow
Cradle Spinney
CADDINGTON
Gatehouse
Bouncer's Wood
DUNSTABLE ROAD
Garden Centre
MANOR ROAD
MANCROFT ROAD
LUTON ROAD
HYDE RD.
HEATHFIELD CL.
Sch.
THE GREEN
BEECHWOOD MOBILE HOMES
HOLLY FARM CLOSE
HAWTHORN CR.
ELM
THE DELL
CULWORTH CL.
EDGECOTE CL.
CROSSLANDS
THE GLEN
LITTLEGREEN LA.
WOODLANDS
MARDLE CL.
MILLFIELD WY.
ENSLOW CL.
LEDWELL RD
FAIRGREEN
FIVE OAKS
Five Oak Middle & Willowfield Schools
Play. Fld.
Pav.
Ten. Ct.
LITTLE MEADOW CARAVAN PARK
Woodside
Woodside Animal Farm
Tipplehill Farm
TIPPLE HILL RD
HILLCREST CARAVAN SITE
Piper's Farm
Works
Aley Green
Whyley Cottage
Nursery
ELAINE GDS.
WOODSIDE
Lower Woodside Farm
Cemetery
MILLFIELD
COTSWOLD BUSINESS PARK
Millfield Farm
Kensworth Nurseries
LU6
PIPERS LANE
Hill Farm
Woodside Farm & Wild Fowl Park
MANCROFT ROAD
WATLING STREET
LYNCH HILL
Water Works
PACKHORSE PL.
Red Cow Farm
New Lodge
Cell Park Farm
Cattle Grid
MARKYATECELL PARK
CADDINGTON COMMON
Foxdell Farm
Top Spring
MARKYATE ROAD
B4540
The Belt
Home Farm
AL3
River Ver
Markyate Cell
DUNSTABLE STREET
A5
Caddington Hall
Stable Spring
Middle Spring
The Lodge
Lower Farm
Nurseries
Manor Farm
LUTON ROAD
CHURCH END
Vicarage
War Meml.
Sub.
Broomhill Leys Wood

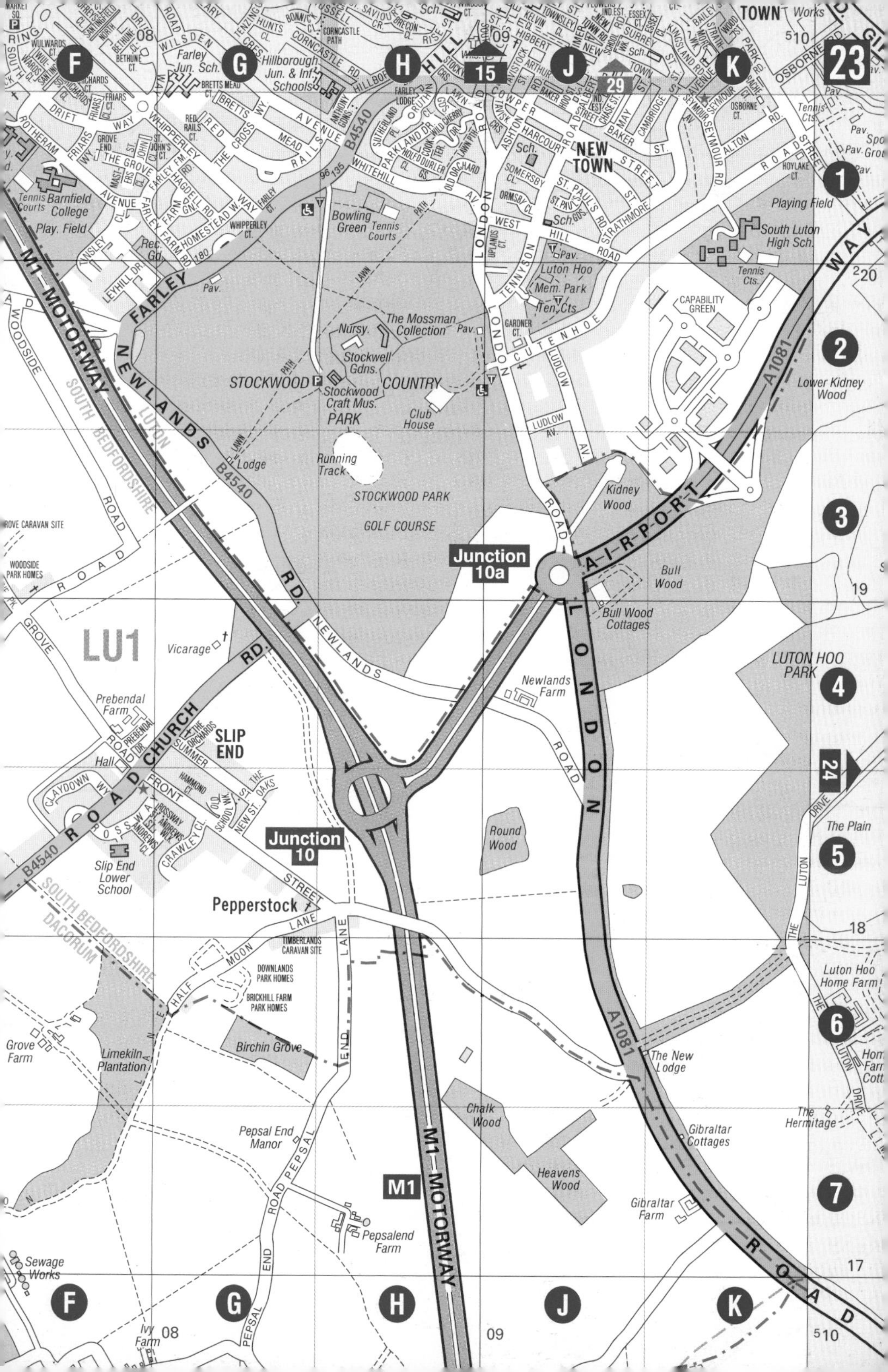

23
F
G
H
J
K
15
29
1
2
3
4
5
6
7
24
NEW TOWN
Farley Jun. Sch.
Hillborough Jun. & Inf. Schools
Barnfield College
Play. Field
Bowling Green
Tennis Courts
Playing Field
South Luton High Sch.
Luton Hoo Mem. Park
CAPABILITY GREEN
The Mossman Collection
Stockwell Gdns.
STOCKWOOD COUNTRY PARK
Stockwood Craft Mus.
Club House
Running Track
STOCKWOOD PARK GOLF COURSE
Lower Kidney Wood
Kidney Wood
Junction 10a
Bull Wood
Bull Wood Cottages
LU1
Vicarage
LUTON HOO PARK
Newlands Farm
Prebendal Farm
SLIP END
Junction 10
Slip End Lower School
The Plain
Round Wood
Pepperstock
TIMBERLANDS CARAVAN SITE
DOWNLANDS PARK HOMES
BRICKHILL FARM PARK HOMES
Luton Hoo Home Farm
Grove Farm
Limekiln Plantation
Birchin Grove
The New Lodge
Chalk Wood
The Hermitage
Pepsal End Manor
Gibraltar Cottages
Heavens Wood
M1 MOTORWAY
Gibraltar Farm
Pepsalend Farm
Sewage Works
Ivy Farm
M1
FARLEY
NEWLANDS RD.
B4540
AIRPORT WAY
A1081
LONDON ROAD
CHURCH ROAD
SOUTH BEDFORDSHIRE
LUTON
DACORUM
WOODSIDE PARK HOMES
08
09
510
20
19
18
17

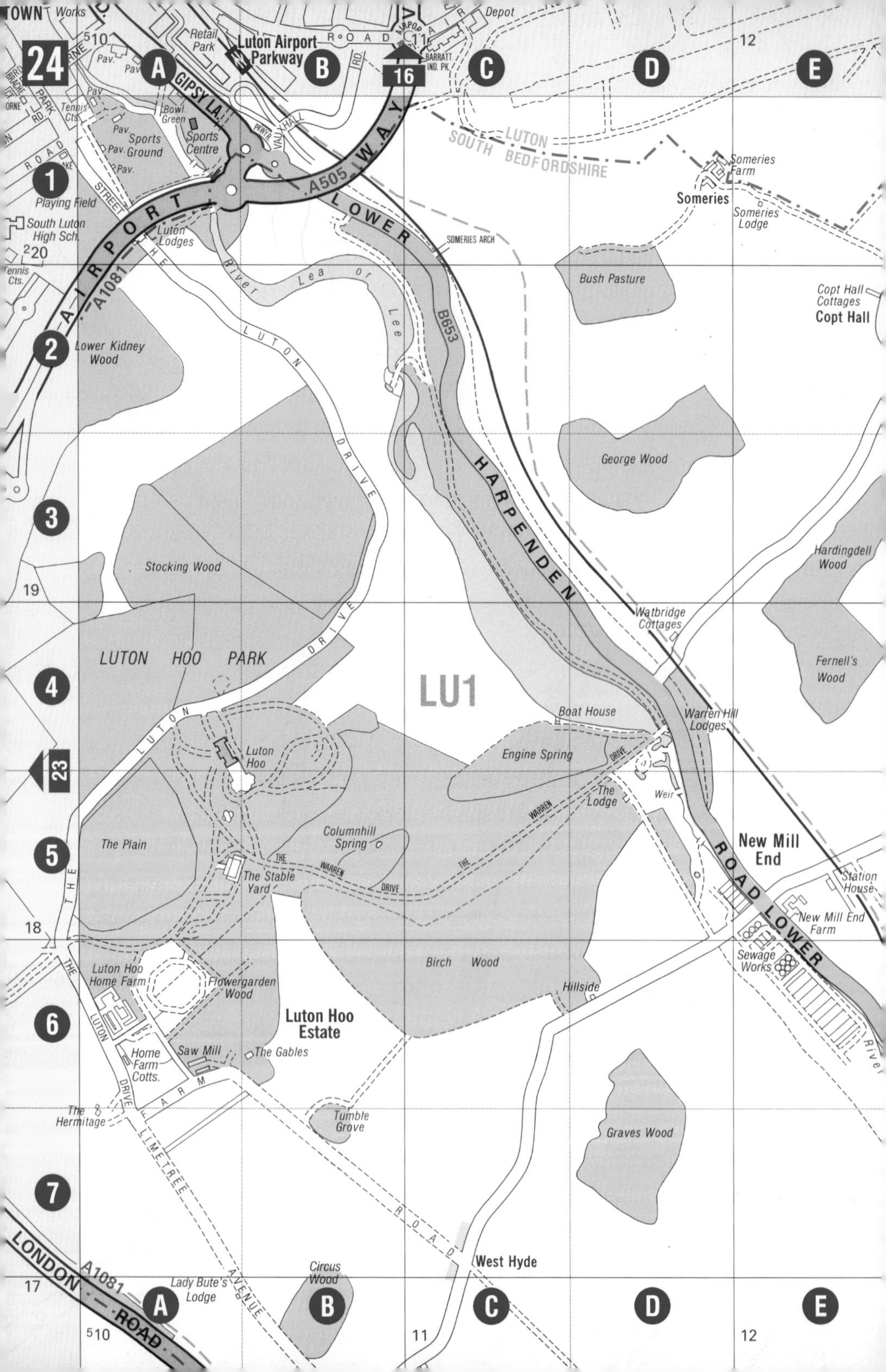

Works

Depot

Retail Park

Luton Airport Parkway

A B C D E

510

GIPSY LA.

Pav.

Pav.

Bowl Green

Sports Centre

Sports Ground

Sports Pav.

Pav.

1

Playing Field

South Luton High Sch.

20

Tennis Cts.

Tennis Cts.

Luton Lodges

2

Lower Kidney Wood

3

Stocking Wood

19

LUTON HOO PARK

LU1

4

23

5

The Plain

18

The Stable Yard

Columnhill Spring

6

Luton Hoo Home Farm

Flowergarden Wood

Luton Hoo Estate

Home Farm Cotts.

Saw Mill

The Gables

The Hermitage

Tumble Grove

7

17

LONDON ROAD

A1081

A B C D E

510

11 12

A505 WAY

LOWER

VAUXHALL

River Lea or Lee

LUTON DRIVE

16

ROAD

AIRPORT WAY

A1081

STREET

THE

SOMERIES ARCH

LUTON SOUTH BEDFORDSHIRE

Someries Farm

Someries

Someries Lodge

Bush Pasture

Copt Hall Cottages

Copt Hall

B653

HARPENDEN

George Wood

Hardingdell Wood

Watbridge Cottages

Fernell's Wood

Boat House

Engine Spring

Warren Hill Lodges

WARREN DRIVE

The Lodge

Weir

New Mill End

Station House

THE

THE WARREN

THE DRIVE

ROAD LOWER

New Mill End Farm

Birch Wood

Hillside

Sewage Works

River

Luton Hoo

Lady Bute's Lodge

Circus Wood

Graves Wood

West Hyde

ROAD

LIMETREE AVENUE

LUTON FARM DRIVE

Luton Hoo

Barratt Ind. Pk.

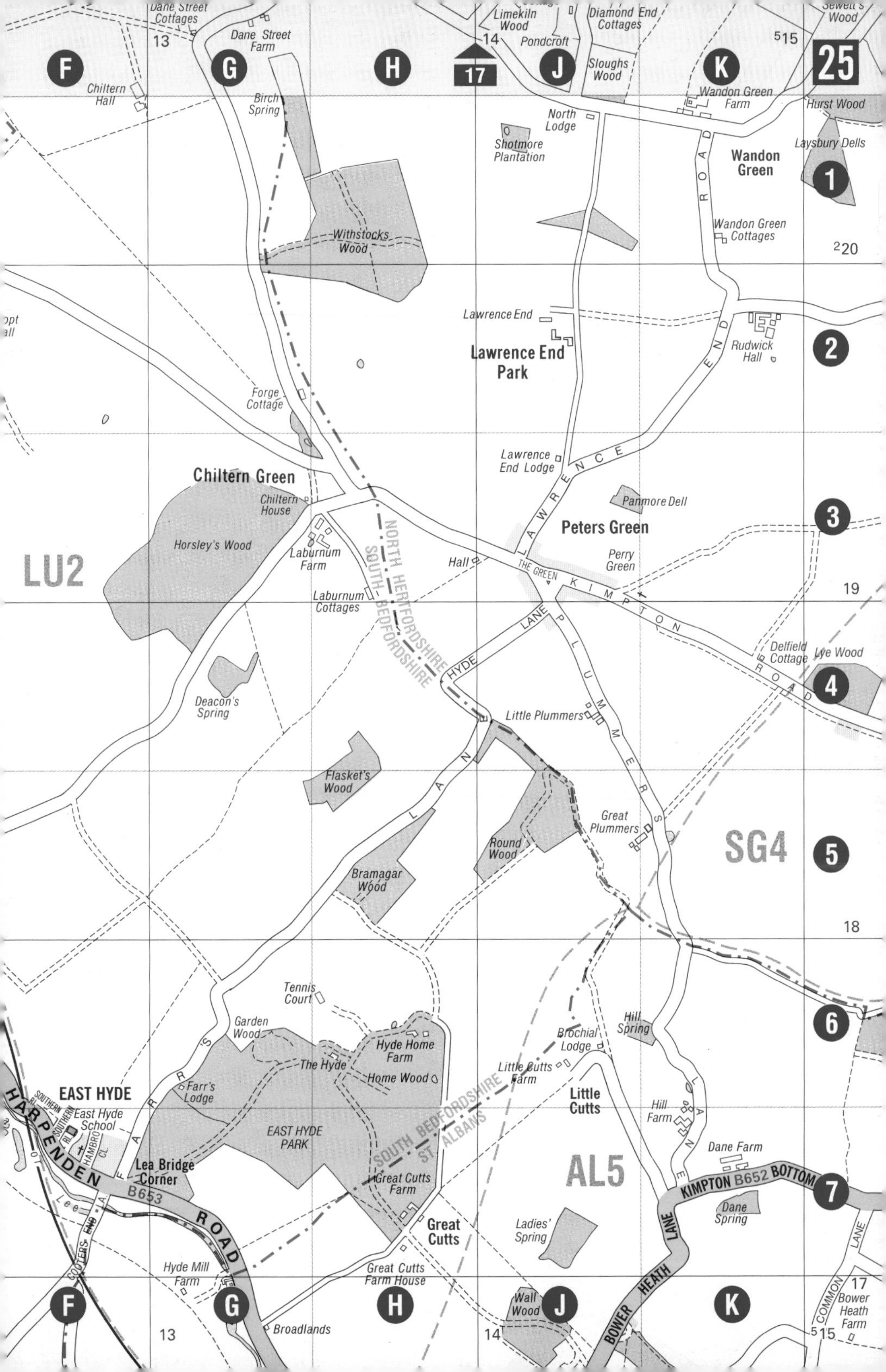

Dane Street Cottages
Dane Street Farm
Limekiln Wood
Diamond End Cottages
Sewell's Wood
Pondcroft
Sloughs Wood
17
Chiltern Hall
Birch Spring
North Lodge
Wandon Green Farm
Hurst Wood
Shotmore Plantation
Laysbury Dells
Wandon Green
Withstocks Wood
Wandon Green Cottages
Lawrence End
Rudwick Hall
Lawrence End Park
Forge Cottage
Lawrence End Lodge
Chiltern Green
Chiltern House
Panmore Dell
Peters Green
Horsley's Wood
Laburnum Farm
NORTH HERTFORDSHIRE
SOUTH BEDFORDSHIRE
LU2
Hall
THE GREEN
Perry Green
Laburnum Cottages
KIMPTON ROAD
HYDE LANE
Delfield Cottage
Lye Wood
LAWRENCE END ROAD
Deacon's Spring
Little Plummers
PLUMMERS LANE
Flasket's Wood
Great Plummers
Round Wood
SG4
Bramagar Wood
Tennis Court
Garden Wood
Hill Spring
Hyde Home Farm
Brochial Lodge
The Hyde
Home Wood
Little Cutts Farm
Little Cutts
EAST HYDE
Farr's Lodge
Hill Farm
East Hyde School
EAST HYDE PARK
SOUTH BEDFORDSHIRE
ST ALBANS
Dane Farm
HAMBRO CL.
Lea Bridge Corner
AL5
Great Cutts Farm
KIMPTON B652 BOTTOM
HARPENDEN B653 ROAD
FARRS LANE
Dane Spring
Great Cutts
Ladies' Spring
COOTERS END LANE
Hyde Mill Farm
Great Cutts Farm House
BOWER HEATH LANE
COMMON LANE
Bower Heath Farm
Wall Wood
Broadlands
Lee
F
G
H
J
K
1
2
3
4
5
6
7
13
14
515
220
19
18
17

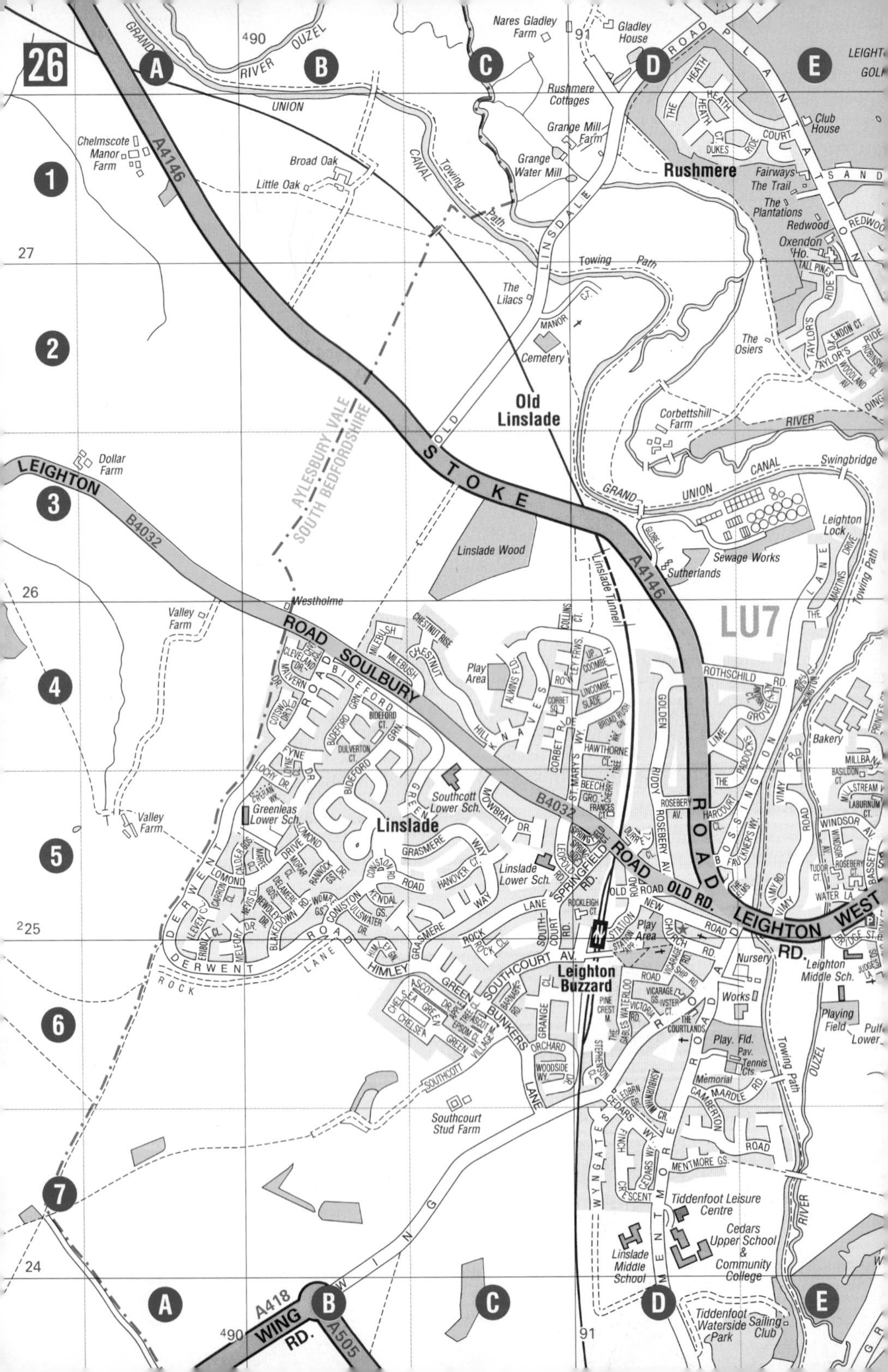

Rushmere
Old Linslade
Linslade
Leighton Buzzard
LU7
STOKE ROAD
SOULBURY ROAD
LEIGHTON ROAD
OLD RD.
LEIGHTON WEST RD.
GRAND UNION CANAL
RIVER OUZEL
Linslade Wood
Sewage Works
Cemetery
Southcott Lower Sch.
Linslade Lower Sch.
Greenleas Lower Sch.
Tiddenfoot Leisure Centre
Cedars Upper School & Community College
Linslade Middle School
Tiddenfoot Waterside Park
Sailing Club
Leighton Middle Sch.
Southcourt Stud Farm
Chelmscote Manor Farm
Dollar Farm
Valley Farm
Nares Gladley Farm
Gladley House
Rushmere Cottages
Grange Mill Farm
Grange Water Mill
Corbettshill Farm
Leighton Lock
Swingbridge
AYLESBURY VALE
SOUTH BEDFORDSHIRE

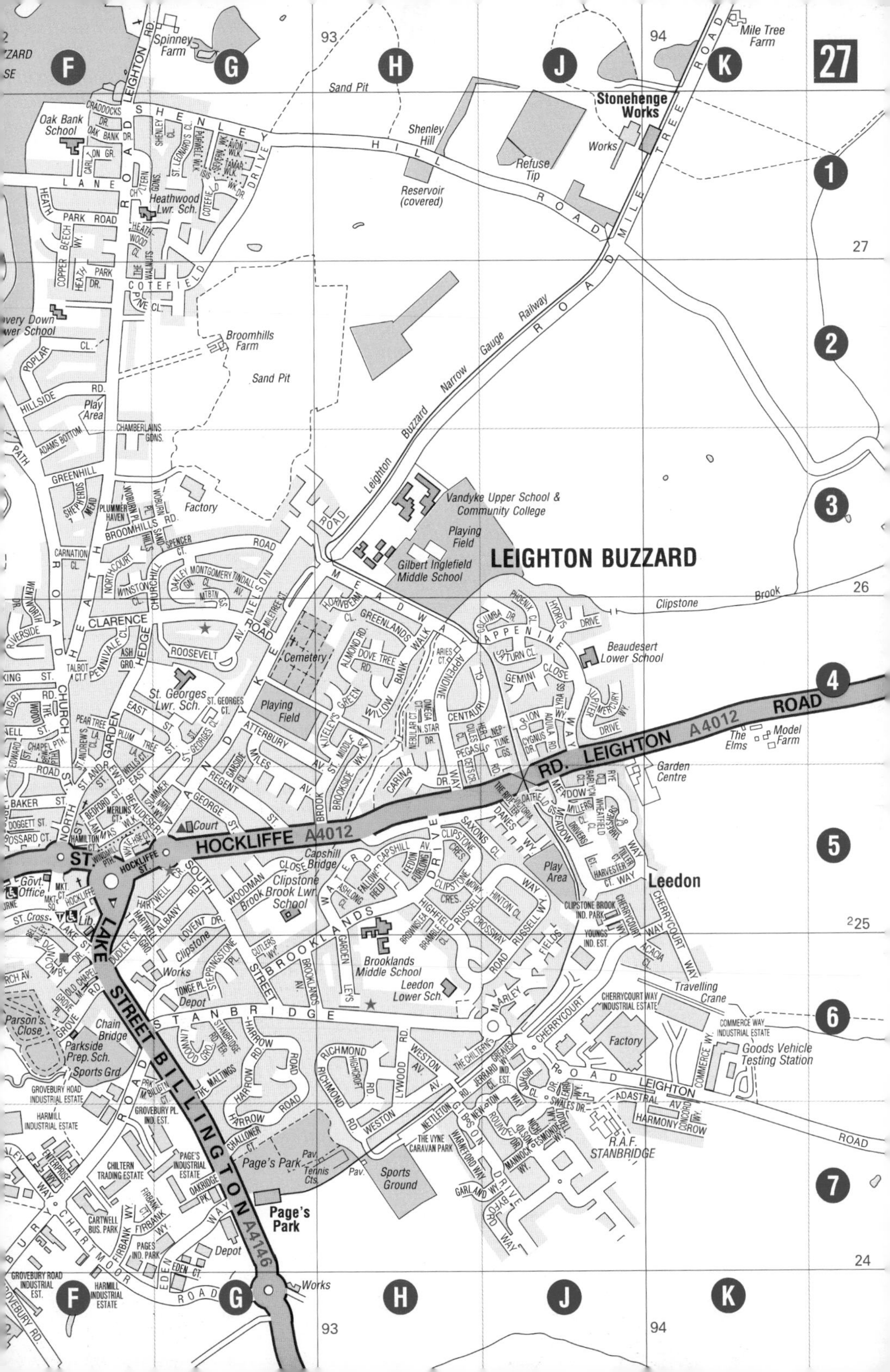
LEIGHTON BUZZARD
Leedon
Spinney Farm
Mile Tree Farm
Stonehenge Works
Works
Refuse Tip
Sand Pit
Shenley Hill
Reservoir (covered)
SHENLEY HILL ROAD
MILE TREE ROAD
Oak Bank School
Heathwood Lwr. Sch.
Leavery Down Lower School
Broomhills Farm
Leighton Buzzard Narrow Gauge Railway
Play Area
Factory
Vandyke Upper School & Community College
Playing Field
Gilbert Inglefield Middle School
Clipstone Brook
Beaudesert Lower School
St. Georges Lwr. Sch.
Cemetery
LEIGHTON ROAD A4012
The Elms
Model Farm
Garden Centre
HOCKLIFFE ST. A4012
Court
Capshill Bridge
Clipstone Brook Lwr. School
Brooklands Middle School
Leedon Lower Sch.
Clipstone Brook Ind. Park
Youngs Ind. Est.
Travelling Crane
Cherrycourt Way Industrial Estate
Commerce Way Industrial Estate
Goods Vehicle Testing Station
LEIGHTON ROAD
R.A.F. STANBRIDGE
The Vyne Caravan Park
Sports Ground
Page's Park
Tennis Cts.
Pav.
BILLINGTON ROAD A4146
LAKE STREET
STANBRIDGE ROAD
Parkside Prep. Sch.
Parson's Close
Chain Bridge
Sports Grd.
Grovebury Road Industrial Estate
Harmill Industrial Estate
Grovebury Pl. Ind. Est.
Chiltern Trading Estate
Page's Industrial Estate
Cartwell Bus. Park
Pages Ind. Park
Depot
Works
Govt. Office
Lib.
CHURCH
HEATH ROAD
NORTH ST.
CHARTMOOR ROAD
EDEN ROAD
93
94
27
26
25
24
F G H J K
1 2 3 4 5 6 7

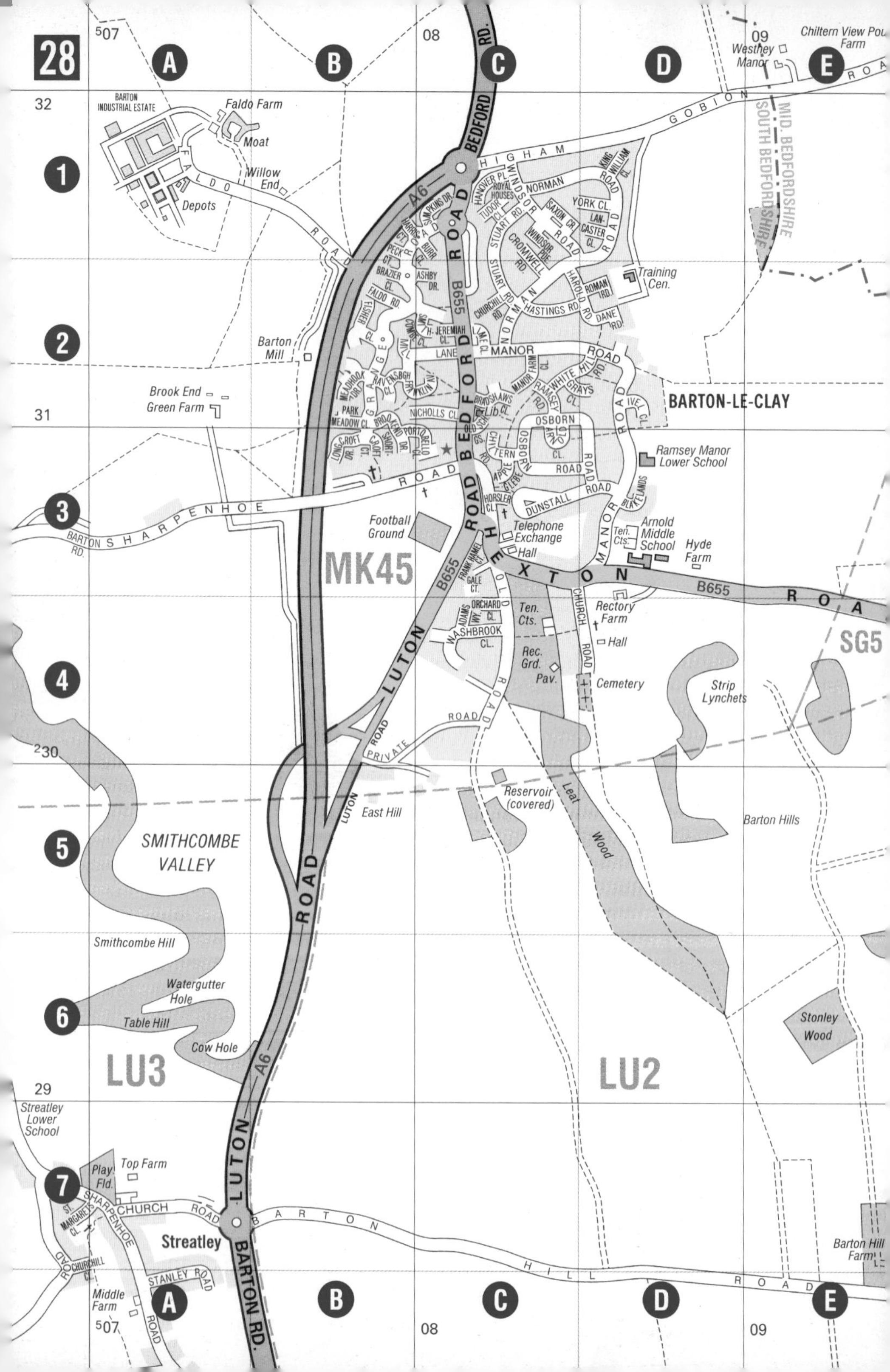
BARTON-LE-CLAY
BARTON INDUSTRIAL ESTATE
Faldo Farm
Moat
Willow End
Depots
FALDO ROAD
Barton Mill
Brook End
Green Farm
BEDFORD RD.
BEDFORD ROAD
HIGHAM
GOBION
A6
B655
MANOR ROAD
HEXTON
LUTON ROAD
SHARPENHOE ROAD
BARTON RD.
Training Cen.
Ramsey Manor Lower School
Arnold Middle School
Hyde Farm
Football Ground
Telephone Exchange
Hall
Rectory Farm
Rec. Grd.
Pav.
Cemetery
Strip Lynchets
Reservoir (covered)
Leat Wood
East Hill
Barton Hills
SMITHCOMBE VALLEY
Smithcombe Hill
Watergutter Hole
Table Hill
Cow Hole
Stonley Wood
Streatley
Streatley Lower School
Top Farm
Play Fld.
Middle Farm
Barton Hill Farm
BARTON HILL ROAD
Westhey Manor
Chiltern View Poultry Farm
MID. BEDFORDSHIRE
SOUTH BEDFORDSHIRE
MK45
LU3
LU2
SG5

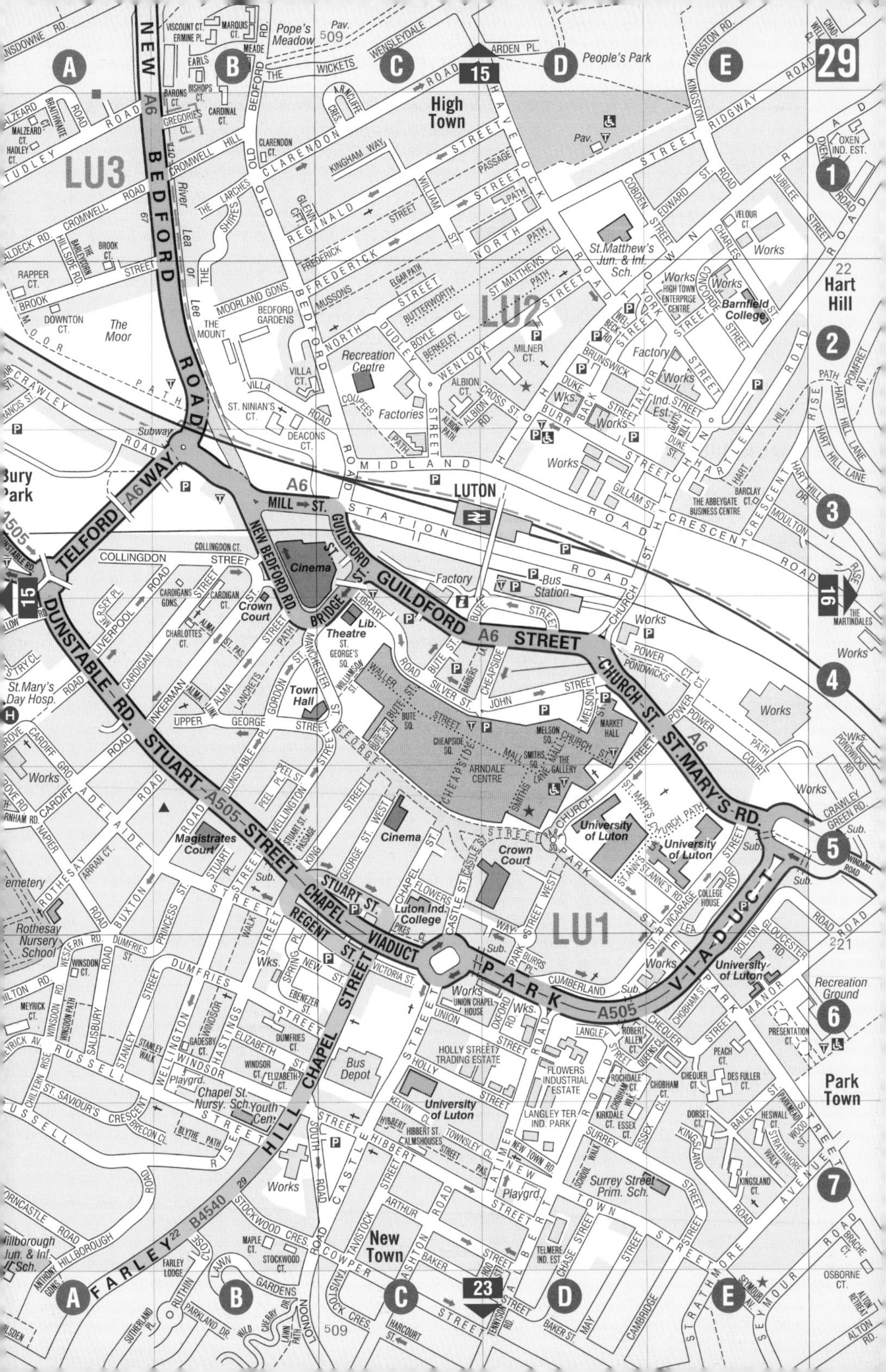
LU3
LU2
LU1
High Town
Hart Hill
Park Town
New Town
Bury Park
LUTON
People's Park
Pope's Meadow
The Moor
NEW BEDFORD ROAD
A6
A505
B4540
TELFORD WAY
DUNSTABLE RD.
STUART STREET
CHAPEL VIADUCT
PARK VIADUCT
GUILDFORD STREET
CHURCH ST.
ST. MARY'S RD.
CHAPEL HILL
FARLEY HILL
STATION ROAD
MIDLAND ROAD
HIGH TOWN ROAD
HITCHIN ROAD
CRESCENT ROAD
OLD BEDFORD ROAD
CROMWELL HILL
CROMWELL ROAD
DUDLEY STREET
WENLOCK STREET
CLARENDON ROAD
WENSLEYDALE ROAD
RIDGWAY ROAD
KINGSTON RD.
HAVELOCK ROAD
REGINALD STREET
FREDERICK STREET
NORTH STREET
COLLINGDON STREET
UPPER GEORGE STREET
GEORGE STREET
WELLINGTON STREET
ADELAIDE STREET
RUSSELL STREET
WINDSOR STREET
HASTINGS STREET
DUMFRIES STREET
CASTLE STREET
HOLLY STREET
WINDMILL ROAD
CRAWLEY GREEN RD.
PARK STREET
NEW TOWN STREET
STOCKWOOD CRES.
LONDON ROAD
COWPER STREET
TAVISTOCK STREET
Recreation Centre
Factories
Cinema
Crown Court
Lib.
Theatre
Town Hall
ARNDALE CENTRE
Bus Station
Magistrates Court
University of Luton
Luton Ind. College
Bus Depot
Barnfield College
St.Matthew's Jun. & Inf. Sch.
Surrey Street Prim. Sch.
Rothesay Nursery School
Hillborough Jun. & Inf. Sch.
Chapel St. Nursy. Sch.
Youth Cen.
St.Mary's Day Hosp.
HOLLY STREET TRADING ESTATE
FLOWERS INDUSTRIAL ESTATE
LANGLEY TER. IND. PARK
THE ABBEYGATE BUSINESS CENTRE
HIGH TOWN ENTERPRISE CENTRE
Recreation Ground
Works
Cemetery
15
16
23
509
A B C D E
1 2 3 4 5 6 7

INDEX

Including Streets, Places & Areas, Hospitals & Hospices, Industrial Estates, Selected Flats & Walkways and Selected Places of Interest.

HOW TO USE THIS INDEX

1. Each street name is followed by its Posttown or Postal Locality and then by its map reference; e.g. Abercorn Rd. *Lut* —2H **13** is in the Luton Posttown and is to be found in square 2H on page **13**. The page number being shown in bold type.
A strict alphabetical order is followed in which Av., Rd., St., etc. (though abbreviated) are read in full and as part of the street name; e.g. Allen Clo. appears after Allenby Av. but before Allendale.

2. Streets and a selection of Subsidiary names not shown on the Maps, appear in the index in *Italics* with the thoroughfare to which it is connected shown in brackets; e.g. *Archway Pde. Lut* —1D **14** (off Marsh Rd.)

3. Places and areas are shown in the index in **bold type**, the map reference to the actual map square in which the Town or Area is located and not to the place name; e.g. **Barton-le-Clay** —3C **28**

4. An example of a selected place of interest is **Cannon Cinema.** —6J 15 (5C **29**)

5. An example of a hospital or hospice is **FARLEY HILL DAY HOSPITAL.** —7F 15

6. Map references shown in brackets; e.g. Albert Rd. *Lut* — 7J **15** (7D **29**) refer to entries that also appear on the large scale page **29**.

GENERAL ABBREVIATIONS

All : Alley
App : Approach
Arc : Arcade
Av : Avenue
Bk : Back
Boulevd : Boulevard
Bri : Bridge
B'way : Broadway
Bldgs : Buildings
Bus : Business
Cvn : Caravan
Cen : Centre
Chu : Church
Chyd : Churchyard
Circ : Circle
Cir : Circus
Clo : Close
Comn : Common
Cotts : Cottages
Ct : Court
Cres : Crescent
Cft : Croft
Dri : Drive
E : East
Embkmt : Embankment

Est : Estate
Fld : Field
Gdns : Gardens
Gth : Garth
Ga : Gate
Gt : Great
Grn : Green
Gro : Grove
Ho : House
Ind : Industrial
Info : Information
Junct : Junction
La : Lane
Lit : Little
Lwr : Lower
Mc : Mac
Mnr : Manor
Mans : Mansions
Mkt : Market
Mdw : Meadow
M : Mews
Mt : Mount
Mus : Museum
N : North
Pal : Palace

Pde : Parade
Pk : Park
Pas : Passage
Pl : Place
Quad : Quadrant
Res : Residential
Ri : Rise
Rd : Road
Shop : Shopping
S : South
Sq : Square
Sta : Station
St : Street
Ter : Terrace
Trad : Trading
Up : Upper
Va : Vale
Vw : View
Vs : Villas
Vis : Visitors
Wlk : Walk
W : West
Yd : Yard

POSTTOWN AND POSTAL LOCALITY ABBREVIATIONS

Al G : Aley Green
Bar C : Barton-le-Clay
Bid : Bidwell
B Grn : Breachwood Green
Cad : Caddington
Chal : Chalton
C'hoe : Cockernhoe
Dunst : Dunstable
E Hyde : East Hyde
Eat B : Eaton Bray
Edl : Edlesborough
Harl : Harlington
Hpdn : Harpenden
H&R : Heath and Reach
H Gob : Higham Gobian

H Reg : Houghton Regis
I'hoe : Ivinghoe
Kens : Kensworth
Kim : Kimpton
K Wal : Kings Walden
Leag : Leagrave
Lee : Lee, The
L Buz : Leighton Buzzard
Lil : Lilley
Lut A : London Luton Airport
L Sun : Lower Sundon
Lut : Luton
Mark : Markyate
N'all : Northall
Offl : Offley

Pep : Pepperstock
P Grn : Peters Green
S'hoe : Sharpenhoe
S End : Slip End
S'ley : Streatley
Stud : Studham
S'dn : Sundon
Teb : Tebworth
Tod : Toddington
Tot : Totternhoe
Whip : Whipsnade
W'fld : Wingfield
Wood : Woodside
Wood E : Woodside Est.

INDEX

Abbey Dri. *Lut* —4A **16**
Abbeygate Bus. Cen., The. *Lut* —3E **29**
Abbey M. *Dunst* —7E **12**
Abbey Wlk. *H Reg* —6G **7**
Abbots Ct. *Lut* —4A **16**
Abbots Wood Pde. *Lut* —4A **16**
Abbots Wood Rd. *Lut* —4A **16**
Abercorn Rd. *Lut* —2H **13**
Abigail Clo. *Lut* —2H **15**
Abigail Ct. *Lut* —2H **15**
Abingdon Rd. *Lut* —2A **14**

Acacia Clo. *L Buz* —6K **27**
Acorn Clo. *Lut* —2K **15**
Acorns, The. *Lut* —1B **14**
Acworth Ct. *Lut* —7A **8**
Acworth Cres. *Lut* —7A **8**
Adams Bottom. *L Buz* —3F **27**
Adastral Av. *L Buz* —6J **27**
Addington Way. *Lut* —2B **14**
Adelaide St. *Lut* —6H **15** (5A **29**)
Adlington Ct. *Lut* —7A **8**
Adstone Rd. *Cad* —3D **22**

Aidans Clo. *Dunst* —4A **12**
Ailsworth Rd. *Lut* —6D **8**
Ainsland Ct. *Lut* —3K **13**
Airport Executive Pk. *Lut* —5C **16**
Airport Way. *Lut* —3J **23**
 (LU1, in two parts)
Airport Way. *Lut* —7C **16**
 (LU2)
Albany Ct. *Lut* —5F **15**
Albany Rd. *L Buz* —5G **27**
Albermarle Clo. *Lut* —2H **13**

Albert Ct. *Dunst* —6E **12**
Albert Rd. *Lut* —7J **15** (7D **29**)
Albion Ct. *Dunst* —5D **12**
Albion Ct. *Lut* —5J **15** (2C **29**)
Albion Path. *Lut* —2C **29**
  (in two parts)
Albion Rd. *Lut* —5J **15** (2C **29**)
Albion St. *Dunst* —5D **12**
Albury Clo. *Lut* —3E **8**
Aldbanks. *Dunst* —4B **12**
Aldenham Clo. *Lut* —2H **13**
Alder Cres. *Lut* —1E **14**
Alderton Clo. *Lut* —4D **16**
Aldhous Clo. *Lut* —7F **9**
Aldwyck Ho. *Dunst* —3C **12**
Alesia Rd. *Lut* —6C **8**
Alexandra Av. *Lut* —2G **15**
Alexandra Ct. *L Buz* —4E **26**
Aley Green. —4D 22
Alfred St. *Dunst* —5E **12**
Alfriston Clo. *Lut* —2C **16**
Allenby Av. *Dunst* —4J **13**
Allen Clo. *Dunst* —5F **13**
Allendale. *Lut* —3E **8**
All Saints Rd. *H Reg* —7D **6**
Alma Farm Rd. *Tod* —5A **4**
Alma Link. *Lut* —6H **15** (4B **29**)
  (in two parts)
Alma St. *Lut* —6H **15** (4B **29**)
Alma St. Pas. *Lut* —4B **29**
  (in two parts)
Almond Clo. *Lut* —1F **15**
  (Britannia Av.)
Almond Clo. *Lut* —7E **8**
  (Trinity Rd.)
Almond Rd. *L Buz* —4H **27**
Alpine Way. *Lut* —4B **8**
Alsop Clo. *H Reg* —7D **6**
Althorp Rd. *Lut* —4G **15**
Alton Retreat. *Lut* —7E **29**
Alton Rd. *Lut* —1K **23** (7E **29**)
Alwins Fld. *L Buz* —4C **26**
Alwyn Clo. *Lut* —3J **15**
Amberley Clo. *Lut* —1D **16**
Ambleside. *Lut* —7D **8**
Ames Clo. *Lut* —3D **8**
Amhurst Rd. *Lut* —2H **13**
Andover Clo. *Lut* —6A **8**
Angel Clo. *Lut* —2B **14**
Angel Cotts. *Offl* —2K **11**
Angels La. *H Reg* —7D **6**
Angus Clo. *Lut* —2J **13**
Anmer Gdns. *Lut* —1K **13**
Anstee Rd. *Lut* —6K **7**
Anthony Gdns. *Lut* —1H **23** (7A **29**)
Anvil Ct. *Lut* —7C **8**
Apex Bus. Cen. *Dunst* —3E **12**
Apollo Clo. *Dunst* —6F **13**
Appenine Way. *L Buz* —4J **27**
Appleby Gdns. *Dunst* —6D **12**
Applecroft Rd. *Lut* —1C **16**
Apple Glebe. *Bar C* —3C **28**
Apple Gro. *Lut* —1H **13**
Apple Tree Clo. *L Buz* —6C **26**
Aquila Rd. *L Buz* —4J **27**
Arbour Clo. *Lut* —3E **8**
Arbroath Rd. *Lut* —3B **8**
Arcade, The. *Lut* —4G **15**
Archway Pde. Lut —1D 14
  (off Marsh Rd.)
Archway Rd. *Lut* —1C **14**
Arden Pl. *Lut* —4J **15** (1D **29**)
Ardleigh Grn. *Lut* —4D **16**
Ardley Clo. *Dunst* —1E **20**
Arenson Way. *H Reg* —3D **12**
Argyll Av. *Lut* —3G **15**
Aries Ct. *L Buz* —4H **27**
Armitage Gdns. *Lut* —4B **14**
Arnald Way. *H Reg* —1C **12**
Arncliffe Cres. *Lut* —4J **15** (1C **29**)
Arndale Cen. *Lut* —6J **15** (5C **29**)
Arndale Ct. Lut —5K 15 (3E 29)
  (off Moulton Ri.)
Arnold Clo. *Bar C* —3C **28**
Arnold Clo. *Lut* —2A **16**
Arnold Ct. *Dunst* —6C **12**
Arran Ct. *Lut* —6H **15** (5A **29**)

Arrow Clo. *Lut* —6C **8**
Arthur St. *Lut* —7J **15** (7C **29**)
Arundel Rd. *Lut* —2E **14**
Ascot Dri. *L Buz* —6C **26**
Ascot M. *L Buz* —6C **26**
Ascot Rd. *Lut* —3F **15**
Ashburnham Cres. *L Buz* —6D **26**
Ashburnham Rd. *Lut* —6F **15** (5A **29**)
Ashby Dri. *Bar C* —2C **28**
Ashcroft. *Dunst* —4B **12**
Ashcroft Rd. *Lut* —1B **16**
Ashdale Gdns. *Lut* —3E **8**
Ashfield Way. *Lut* —6E **8**
Ash Gro. *Dunst* —5F **13**
Ash Gro. *L Buz* —4F **27**
Ashlong Clo. *L Buz* —5H **27**
Ash Rd. *Lut* —5F **15**
Ashton Rd. *Dunst* —4D **12**
Ashton Rd. *Lut* —1J **23** (7C **29**)
Ashton Sq. *Dunst* —5D **12**
Ash Tree Rd. *H Reg* —6D **6**
Ashwell Av. *Lut* —4A **8**
Ashwell Pde. Lut —4A 8
  (off Ashwell Av.)
Ashwell St. *L Buz* —4F **27**
Ashwell Wlk. *H Reg* —6G **7**
Aspley Clo. *Lut* —2G **13**
Astley Grn. Lut —3D 16
  (off Kempsey Clo.)
Astra Ct. *Lut* —3K **15**
Astrey Clo. *Harl* —1H **5**
Atherstone Rd. *Lut* —4B **14**
Atholl Clo. *Lut* —4B **8**
Atterbury Av. *L Buz* —4G **27**
Aubrey Gdns. Lut —6K 7
  (off Toddington Rd.)
Audley Pl. *Lut* —4A **16**
Austin Rd. *Lut* —1F **15**
Avebury Av. *Lut* —1H **15**
Avenue Grimaldi. *Lut* —2E **14**
Avenue, The. *Dunst* —6A **12**
Avenue, The. *Lut* —7B **8**
Avon Ct. *Lut* —5G **15**
Avondale Rd. *Lut* —5G **15**
Avon Wlk. *L Buz* —1G **27**
Axe Clo. *Lut* —6C **8**
Aydon Rd. *Lut* —6F **9**
Aynscombe Clo. *Dunst* —5B **12**

Back St. *Lut* —5J **15** (2D **29**)
Badgers Ga. *Dunst* —6A **12**
Bagwicks Clo. *Lut* —5C **8**
Bailey St. *Lut* —7K **15** (7E **29**)
Bakers La. *Kens* —6G **21**
Baker St. *L Buz* —5F **27**
Baker St. *Lut* —1J **23** (7C **29**)
  (in two parts)
Bakewell Clo. *Lut* —4A **14**
Balcombe Clo. *Lut* —1C **16**
Baldock Clo. *Lut* —2H **13**
Balmore Wood. *Lut* —3F **9**
Bampton Rd. *Lut* —4K **13**
Banbury Clo. *Lut* —1D **14**
Bancroft Rd. *Lut* —7F **9**
Bank Clo. *Lut* —1A **14**
Barbers La. *Lut* —4C **29**
Barclay Ct. *Lut* —5K **15** (3E **29**)
Barford Ri. *Lut* —4D **16**
Barking Clo. *Lut* —6K **7**
Barley Brow. *Dunst* —2A **12**
Barleycorn Clo. *L Buz* —5J **27**
Barleycorn, The. *Lut* —2A **29**
Barleyfield Way. *H Reg* —1C **12**
Barley La. *Lut* —7A **8**
Barleyvale. *Lut* —4E **8**
Barnabas Rd. *L Buz* —6C **26**
Barnard Rd. *Lut* —6E **14**
Barnfield Av. *Lut* —7H **9**
Barnston Clo. *Lut* —4D **16**
Barons Ct. *Lut* —1B **29**
Barratt Ind. Pk. *Lut* —7C **16**
Barrie Av. *Dunst* —2A **12**
Barrowby Clo. *Lut* —4D **16**
Barrow Path. *L Buz* —4F **27**
Barton Av. *Dunst* —5F **13**
Barton Hill Rd. *S'ley* —7B **28**

Barton Ind. Est. *Bar C* —1A **28**
Barton-le-Clay. —3C 28
Barton Rd. *Harl* —1H **5**
Barton Rd. *S'hoe* —3A **28**
Barton Rd. *S'ley* —7A **28** & 1F **9**
Basildon Ct. *L Buz* —5E **26**
Bassett Ct. *L Buz* —5E **26**
Bassett Rd. *L Buz* —5E **26**
Bath Rd. *Lut* —3H **15**
Baulk, The. *Lut* —2D **10**
Bay Clo. *Lut* —6K **7**
Baylam Dell. *Lut* —4E **16**
Beacon Av. *Dunst* —6A **12**
Beaconsfield. *Lut* —5B **16**
Beadlow Rd. *Lut* —1H **13**
Beale St. *Dunst* —4C **12**
Beanley Clo. *Lut* —3E **16**
Beaudesert. *L Buz* —5F **27**
Beaumont Rd. *Lut* —3F **15**
Beckbury Clo. *Lut* —3E **16**
Beckham Clo. *Lut* —5H **9**
Bedford Ct. *H Reg* —1D **12**
Bedford Gdns. *Lut* —5H **15** (2B **29**)
Bedford Rd. *Bar C* —2C **28**
Bedford Rd. *H Reg* —4C **6**
Bedford Sq. *H Reg* —1D **12**
Bedford St. *L Buz* —5F **27**
Beech Clo. *Dunst* —1G **21**
Beech Grn. *Dunst* —4B **12**
Beech Gro. *L Buz* —5D **26**
Beech Hill. *Lut* —5C **10**
Beech Hill Path. *Lut* —4F **15**
Beech Rd. *Dunst* —2F **21**
Beech Rd. *Lut* —5G **15**
Beech Tree Way. *H Reg* —7D **6**
Beechwood Ct. *Dunst* —6B **12**
Beechwood Mobile Homes. *Cad* —2C **22**
Beechwood Rd. *Lut* —1B **14**
Beecroft. —5B 12
Beecroft Way. *Dunst* —5B **12**
Belfry, The. *Lut* —6J **9**
Belgrave Rd. *Lut* —7B **8**
Bell All. *L Buz* —5F **27**
Bellerby Ri. *Lut* —6K **7**
Belmont Rd. *Lut* —6G **15**
Belper Rd. *Lut* —3B **14**
Belsham Pl. *Lut* —3E **16**
Belsize Rd. *Lut* —2G **13**
Belvedere Rd. *Lut* —7F **9**
Bembridge Gdns. *Lut* —5D **8**
Benington Clo. *Lut* —7J **9**
Bennetts Clo. *Dunst* —6D **12**
Benning Av. *Dunst* —5B **12**
Benson Clo. *Lut* —5D **8**
Bentley Ct. Lut —5G 15
  (off Moor St.)
Beresford Rd. *Lut* —4E **14**
Berkeley Path. *Lut* —5J **15** (2C **29**)
Bernard Clo. *Dunst* —4E **12**
Berrow Clo. *Lut* —3E **8**
Berry Leys. *Lut* —5C **8**
Bert Collins Ct. Lut —6G 15
  (off Wolston Clo.)
Besford Clo. *Lut* —3E **16**
Bethune Clo. *Lut* —7F **15**
Bethune Ct. *Lut* —7F **15**
Beverley Rd. *Lut* —4D **14**
Bewdley Dri. *L Buz* —5B **26**
Bexhill Rd. *Lut* —3D **16**
Bibshall Cres. *Dunst* —7E **12**
Bideford Ct. *L Buz* —4B **26**
Bideford Gdns. *Lut* —1H **15**
Bideford Grn. *L Buz* —4B **26**
Bidwell. —6C 6
Bidwell Clo. *H Reg* —7D **6**
Bidwell Hill. *H Reg* —7C **6**
Bidwell Path. *H Reg* —1D **12**
Bigthan Rd. *Dunst* —5E **12**
Billington Ct. *L Buz* —6G **27**
Billington Rd. *L Buz* —6G **27**
Bilton Way. *Lut* —5D **14**
Binder Clo. *Lut* —1G **15**
Binder Ct. Lut —1G 13
  (off Binder Clo.)
Binham Clo. *Lut* —5H **9**
Birchen Gro. *Lut* —2K **15**
Birch Link. *Lut* —4G **15**

Birch Side. *Dunst* —7F **13**
(in two parts)
Birchside Path. *Dunst* —7F **13**
Birdsfoot La. *Lut* —7F **9**
Birling Dri. *Lut* —7C **10**
Birtley Cft. *Lut* —4E **16**
Biscot. —3G 15
Biscot Rd. *Lut* —2F **15**
Bishop Clo. *L Buz* —6J **27**
Bishopscote Rd. *Lut* —2F **15**
Bishops Ct. *Lut* —1B **29**
Blackburn Rd. *H Reg* —2D **12**
Blacksmith Comn. *Chal* —2G **7**
Blacksmiths Ct. Dunst —5D **12**
(off Matthew St.)
Black Swan La. *Lut* —7E **8**
Blackthorn Dri. *Lut* —1C **16**
Black Thorn Rd. *H Reg* —6E **6**
Blakedown Rd. *L Buz* —5B **26**
Blakelands. *Bar C* —3D **28**
Blakeney Dri. *Lut* —5G **9**
Blandford Av. *Lut* —6H **9**
Blaydon Rd. *Lut* —5A **16**
Blenheim Cres. *Lut* —3G **15**
Bloomfield Av. *Lut* —4A **16**
Bloomsbury Gdns. *H Reg* —7F **7**
Blows Rd. *Dunst* —6F **13**
Bluebell Wood Clo. *Lut* —6D **14**
Blundell Rd. *Lut* —2E **14**
Blyth Pl. *Lut* —7B **29**
Bodmin Rd. *Lut* —1D **14**
Bolingbroke Rd. *Lut* —7F **15**
Bolney Grn. *Lut* —2D **16**
Bolton Rd. *Lut* —6K **15** (6E **29**)
Bonnick Clo. *Lut* —7G **15**
Booth Pl. *Eat B* —4E **18**
Borders Way. *H Reg* —6E **6**
(off Black Thorn Rd.)
Borough Rd. *Dunst* —6F **13**
Borrowdale Av. *Dunst* —7E **12**
Boscombe Rd. *Dunst* —3E **12**
Bosmore Rd. *Lut* —6D **8**
Bossard Cen. *L Buz* —5E **26**
Bossard Ct. *L Buz* —5F **27**
Bossington Clo. *L Buz* —4E **26**
Bossington La. *L Buz* —5D **26**
Bottom Dri. *Eat B* —5K **19**
Bowbrook Va. *Lut* —4F **17**
Bower Clo. *Eat B* —5F **19**
Bower Heath La. *Hpdn* —7J **25**
Bower La. *Eat B* —5F **19**
Bowland Cres. *Dunst* —7C **12**
Bowles Way. *Dunst* —1F **21**
Bowling Grn. La. *Lut* —3J **15**
Bowmans Clo. *Dunst* —6E **12**
Bowmans Way. *Dunst* —6E **12**
Boxgrove Clo. *Lut* —7C **10**
Boxted Clo. *Lut* —7A **8**
Boyle Clo. *Lut* —5J **15** (2C **29**)
Braceby Clo. *Lut* —6D **8**
Brache Ct. *Lut* —7K **15** (7E **29**)
Brackendale Gro. *Lut* —7E **8**
Bracklesham Gdns. *Lut* —2D **16**
Bracknell Clo. *Lut* —2H **13**
Bradford Rd. *Tod* —7C **4**
Bradford Way. *Tod* —6B **4**
Bradgers Hill Rd. *Lut* —1J **15**
Bradley Rd. *Lut* —4A **14**
Bradshaws Clo. *Bar C* —2C **28**
Braintree Clo. *Lut* —2H **13**
Braithwaite Ct. *Lut* —1A **29**
Bramble Clo. *L Buz* —6H **27**
Bramble Clo. *Lut* —1A **14**
Bramble Rd. *Lut* —1A **14**
Bramhanger Acre. *Lut* —5B **8**
Bramingham Bus. Pk. *Lut* —4F **9**
Bramingham La. *Lut* —2E **8**
Bramingham Rd. *Lut* —7C **8**
Brampton Ri. *Dunst* —7E **12**
Brandreth Av. *Dunst* —4G **13**
Branton Clo. *Lut* —3E **16**
Brantwood Rd. *Lut* —6G **15**
Bray's Ct. *Lut* —2B **16**
Brays Rd. *Lut* —2B **16**
Brazier Clo. *Bar C* —2B **28**
Breachwood Green. —4K 17
Brecon Clo. *Lut* —7H **15** (7A **29**)

Brendon Av. *Lut* —4C **16**
Brentwood Clo. *H Reg* —6F **7**
Bretts Mead. *Lut* —1G **23**
Bretts Mead Ct. *Lut* —7G **15**
Brewers Hill Rd. *Dunst* —4A **12**
Brian Rd. *Harl* —1J **5**
Briar Clo. *Lut* —1C **16**
Brickhill Farm Pk. Homes. *Lut* —6G **23**
Brick Kiln La. *C'hoe* —1F **17**
Brickly Rd. *Lut* —7K **7**
Bridgeman Dri. *H Reg* —7F **7**
Bridge St. *L Buz* —6E **26**
Bridge St. *Lut* —6J **15** (4C **29**)
Bridle Way. *Tod* —5E **4**
Brierley Clo. *Dunst* —1E **20**
Brierley Clo. *Lut* —3D **16**
Brightwell Av. *Tot* —3J **19**
Brill Clo. *Lut* —3D **16**
Brimfield Clo. Lut —3D **16**
(off Kempsey Clo.)
Bristol Rd. *Lut* —1E **14**
Britain St. *Dunst* —5E **12**
Britannia Av. *Lut* —7F **9**
Brittany Ct. Dunst —5E **12**
(off High St. S.)
Brive Rd. *Dunst* —6G **13**
Broadacres. *Lut* —6H **9**
Broad Mead. *Lut* —2E **14**
Broad Oak Ct. Lut —2D **16**
(off Handcross Rd.)
Broad Rush Grn. *L Buz* —4D **26**
Broad Wlk. *Dunst* —4D **12**
Brocket Ct. *Lut* —6B **8**
Bromley Gdns. *H Reg* —7F **7**
(in two parts)
Brompton Clo. *Lut* —4D **8**
Brook Ct. *Lut* —2A **29**
Brookend Dri. *Bar C* —2B **28**
Brookfield Av. *H Reg* —7E **6**
Brookfield Pk. *H Reg* —7E **6**
Brookfield Park Cvn. Pk. *Tot* —2F **19**
Brookfield Wlk. *H Reg* —1F **13**
Brooklands Av. *L Buz* —6G **27**
Brooklands Clo. *Lut* —6A **8**
Brooklands Dri. *L Buz* —6G **27**
Brookside Wlk. *L Buz* —5H **27**
Brook St. *Edl* —6F **19**
Brook St. *L Buz* —5H **27**
Brook St. *Lut* —5H **15** (2A **29**)
Broomhills Rd. *L Buz* —3F **27**
Brooms Rd. *Lut* —5A **16**
Broughton Av. *Lut* —7G **9**
Broughton Av. *Tod* —5A **4**
Browning Rd. *Lut* —3J **13**
Brownings La. *B Grn* —4K **17**
Brownlow Av. *Edl* —7F **19**
Brownlow Ri. *Tot* —2G **19**
Brown's Clo. *Lut* —7B **8**
Browns Cres. *Harl* —1H **5**
Brownslea. *L Buz* —5H **27**
Broxley Mead. *Lut* —7A **8**
Brunel Ct. *Lut* —2G **13**
Brunel Rd. *Lut* —2G **13**
Brunswick St. *Lut* —5J **15** (2D **29**)
Brussels Way. *Lut* —3B **8**
Bryant Way. *Tod* —6B **4**
Bryony Way. *Dunst* —4A **12**
Buchanan Ct. *Lut* —5B **16**
Buchanan Dri. *Lut* —5B **16**
Buckingham Dri. *Lut* —3D **16**
Buckle Clo. *Lut* —5D **8**
Buckwood Av. *Dunst* —4G **13**
Buckwood La. *Stud* —6D **20**
Buckwood Rd. *Kens & Mark* —7H **21**
Bull Pond La. *Dunst* —5D **12**
Bunhill Clo. *Dunst* —5B **12**
Bunkers La. *L Buz* —6C **26**
Bunting Rd. *Lut* —7J **7**
Bunyans Clo. *Lut* —7E **8**
Bunyans Wlk. *Harl* —1H **5**
Burfield Ct. *Lut* —2D **16**
Burford Clo. *Lut* —3D **8**
Burford Wlk. *H Reg* —7G **7**
Burges Clo. *Dunst* —1F **21**
Burnham Rd. *Lut* —3B **16**
Burnt Clo. *Lut* —5D **8**
Burr Clo. *Bar C* —1C **28**

Burrs Pl. *Lut* —7J **15** (6D **29**)
Burr St. *Dunst* —5D **12**
Burr St. *Lut* —5J **15** (2D **29**)
Bury Clo. *Harl* —2H **5**
Bury Park. —5G 15
Bury Pk. Rd. *Lut* —4G **15**
Bush Clo. *Tod* —6B **4**
Bushey Clo. *Whip* —5B **20**
Bushmead Rd. *Lut* —7J **9**
Butely Rd. *Lut* —6K **7**
Bute Sq. Lut —4C **29**
Bute St. *Lut* —6J **15** (4C **29**)
(in two parts)
Bute St. Mall. Lut —6J **15** (4C **29**)
(off Arndale Cen.)
Butlin Rd. *Lut* —6F **15**
Butlin's Path. *Lut* —5F **15**
Buttercup Clo. *Dunst* —6C **12**
Buttercup La. *Dunst* —7C **12**
Butterfield Grn. Rd. *Lut* —6A **10**
Buttermere Av. *Dunst* —7E **12**
Butterworth Path. *Lut* —5J **15** (2C **29**)
Buxton Rd. *Lut* —6H **15** (5A **29**)
Buzzard Rd. *Lut* —1J **13**
Byfield Clo. *Lut* —4K **13**
Byfield Clo. *Tod* —5A **4**
Byford Way. *L Buz* —7J **27**
Byron Rd. *Lut* —3K **13**
Byslips Rd. *Stud* —7G **21**

Caddington. —2C 22
Caddington Comn. *Mark* —6C **22**
Caddington Pk. Lut —4K **13**
(off Skimpot La.)
Cades Clo. *Lut* —7E **14**
Cades La. *Lut* —7E **14**
Cadia Clo. *Cad* —2C **22**
Calcutt Clo. *Dunst* —3H **13**
Calder Gdns. *L Buz* —5A **26**
Caleb Clo. *Lut* —3D **14**
California. —7C 12
Calnwood Rd. *Lut* —3K **13**
Calverton Rd. *Lut* —6D **8**
Camberton Rd. *L Buz* —6D **26**
Cambridge St. *Lut* —1J **23** (7D **29**)
Camford Way. *Lut* —4J **7**
Campania Gro. *Lut* —4E **8**
Camp Dri. *H Reg* —7D **6**
Campian Clo. *Dunst* —4A **12**
Canberra Gdns. *Lut* —6F **9**
Candale Clo. *Dunst* —7E **12**
Canesworde Rd. *Dunst* —6C **12**
Cannon Cinema. —6J 15 (5C **29**)
Cannon La. *Lut* —7B **10**
Canterbury Clo. *Lut* —1D **14**
Cantilupe Clo. *Eat B* —4D **18**
Capability Grn. *Lut* —2K **23**
Capron Rd. *Dunst* —3C **12**
Capron Rd. *Lut* —1C **14**
Capshill Av. *L Buz* —5H **27**
Cardiff Gro. *Lut* —6H **15** (4A **29**)
Cardiff Rd. *Lut* —6H **15** (5A **29**)
Cardigan Ct. *Lut* —3B **29**
(Cardigan St.)
Cardigan Ct. *Lut* —5H **15** (3A **29**)
(Telford Way)
Cardigan Gdns. *Lut* —3B **29**
Cardigan St. *Lut* —6H **15** (4A **29**)
Cardinal Ct. *Lut* —1B **29**
Carfax Clo. *Lut* —2G **13**
Carina Dri. *L Buz* —5H **27**
Carisbrooke Rd. *Lut* —4C **14**
Carlisle Clo. *Dunst* —7D **12**
Carlow Ct. *Dunst* —5C **12**
Carlton Clo. *Lut* —3G **15**
Carlton Cres. *Lut* —2G **15**
Carlton Gro. *L Buz* —1F **27**
Carmelite Rd. *Lut* —2J **13**
Carnation Clo. *L Buz* —3F **27**
Carnegie Gdns. *Lut* —4E **8**
Carol Clo. *Lut* —1F **15**
Carolyn Ct. *Lut* —1F **15**
Carron Clo. *L Buz* —5A **26**
Carsdale Clo. *Lut* —6E **8**
Carteret Rd. *Lut* —4C **16**
Carterweys. *Dunst* —3G **13**

Elmside. *Kens* —6G **21**
Elms, The. *L Buz* —5D **26**
Elmtree Av. *C'hoe* —2E **16**
Elmwood Cres. *Lut* —1J **15**
Elveden Clo. *Lut* —6J **9**
Elvington Gdns. *Lut* —3F **9**
Ely Way. *Lut* —1B **14**
Emerald Rd. *Lut* —3H **13**
Emmer Grn. *Lut* —3F **17**
Empress Rd. *Lut* —1C **14**
Enderby Rd. *Lut* —5G **9**
Enfield Clo. *H Reg* —6F **7**
Englands Av. *Dunst* —2B **12**
Englands La. *Dunst* —5E **12**
Englefield. *Lut* —2A **16**
Ennerdale Av. *Dunst* —6D **12**
Ennismore Grn. *Lut* —4F **17**
Enslow Clo. *Cad* —3C **22**
Enterprise Way. *L Buz* —7F **27**
Enterprise Way. *Lut* —4F **9**
Epping Way. *Lut* —3A **8**
Epsom Clo. *L Buz* —6C **26**
Ereswell Rd. *Lut* —5E **8**
Eriboll Clo. *L Buz* —6A **26**
Erin Clo. *Lut* —3E **14**
Erin Ct. *Lut* —3E **14**
Ermine Pl. *Lut* —1B **29**
Escarpment Av. *Dunst* —6A **20**
Eskdale. *Lut* —7A **8**
Esmond Way. *L Buz* —7J **27**
Essex Clo. *Lut* —7K **15** (7D **29**)
Essex Ct. *Lut* —7J **15** (7D **29**)
Evans Clo. *H Reg* —1G **13**
Evedon Clo. *Lut* —6D **8**
Evelyn Rd. *Dunst* —3H **13**
Evergreen Way. *Lut* —4E **8**
Exton Av. *Lut* —4A **16**
Eyncourt Rd. *Dunst* —3E **12**
Eynesford Rd. *Leag* —2B **14**

Fairfax Av. *Lut* —5B **8**
Fairfield Clo. *Dunst* —4H **13**
Fairfield Rd. *Dunst* —4G **13**
Fairford Av. *Lut* —7J **9**
Fairgreen Rd. *Cad* —3D **22**
*Fair Oak Ct. Lut —2K **15***
(off Fair Oak Dri.)
Fair Oak Dri. *Lut* —2K **15**
Falcon Clo. *Dunst* —4C **12**
Falconers Rd. *Lut* —4B **16**
Faldo Rd. *Bar C* —1A **28**
(in two parts)
Fallowfield. *L Buz* —5H **27**
Fallowfield. *Lut* —1F **15**
Falstone Grn. *Lut* —4E **16**
Fancott. —7E 4
Faraday Clo. *Lut* —4A **14**
Fareham Way. *H Reg* —7G **7**
Faringdon Rd. *Lut* —2A **14**
Farley Ct. *Lut* —1G **23**
Farley Farm Rd. *Lut* —1F **23**
Farley Hill. —7F 15
Farley Hill. *Lut* —2F **23** (7A **29**)
FARLEY HILL DAY HOSPITAL. —7F 15
Farley Lodge. *Lut* —7H **15** (7B **29**)
Farmbrook. *Lut* —5H **9**
Farm Clo. *H Reg* —7E **6**
Farm Grn. *Lut* —1G **23**
Farm Rd. *Lut* —6A **24**
Farrow Clo. *Lut* —3G **9**
Farr's La. *E Hyde* —7F **25**
Faulkner's Way. *L Buz* —5E **26**
Felbrigg Clo. *Lut* —3F **17**
Felix Av. *Lut* —3A **16**
Felmersham Ct. *Lut* —6F **15**
Felmersham Rd. *Lut* —6E **14**
Felstead Clo. *Lut* —2J **15**
Felstead Way. *Lut* —2K **15**
Felton Clo. *Lut* —4D **16**
Fensome Dri. *H Reg* —7G **7**
Fenwick Clo. *Lut* —7F **9**
Fenwick Rd. *H Reg* —7G **7**
Fermor Cres. *Lut* —4C **16**
Ferndale Rd. *Lut* —6F **15**
Fernheath. *Lut* —3E **8**
Ferrars Clo. *Lut* —4K **13**
Field End Clo. *Lut* —1C **16**
Field Fare Grn. *Lut* —7J **7**
Fieldgate Rd. *Lut* —2B **14**
*Filliano Ct. Lut —4H **15** (1B **29**)*
(off Cromwell Hill)
Filmer Rd. *Lut* —1C **14**
Finch Clo. *Lut* —1J **13**
Finch Cres. *L Buz* —7D **26**
Finsbury Rd. *Lut* —7B **8**
Finway. *Lut* —5D **14**
Firbank Clo. *Lut* —3A **8**
Firbank Ct. *L Buz* —7F **27**
Firbank Ind. Est. *Lut* —5E **14**
Firbank Way. *L Buz* —7F **27**
Firs Path. *L Buz* —3F **27**
First Av. *Dunst* —6D **12**
Fisher Clo. *Bar C* —2B **28**
Fitzroy Av. *Lut* —2F **15**
Fitzwarin Clo. *Lut* —5C **8**
Five Oaks. *Cad* —2D **22**
Five Springs. *Lut* —6C **8**
Five Springs Ct. *Lut* —6C **8**
Flint Clo. *Lut* —5C **8**
(in three parts)
Flint Ct. *Dunst* —4C **12**
*Flint Ct. Lut —1H **23***
(off Farley Hill)
Flints, The. —2G 11
Florence Av. *Lut* —5B **8**
Flowers Ind. Est. *Lut* —7J **15** (6D **29**)
Flowers Way. *Lut* —6J **15** (5C **29**)
Folly La. *Cad* —2C **22**
Forge Clo. *Chal* —2G **7**
Forrest Cres. *Lut* —2A **16**
Foster Av. *H Reg* —2E **12**
Foster Rd. *Harl* —1H **5**
Foston Clo. *Lut* —6D **8**
Fountains Rd. *Lut* —2G **15**
Fourth Av. *Lut* —5A **8**
Foxbury Clo. *Lut* —6H **9**
Fox Dells. *Dunst* —1E **20**
Foxhill. *Lut* —7J **9**
*Frances Ashton Ho. Dunst —5D **12***
(off Bullpond La.)
Francis Ct. *L Buz* —5D **26**
Francis St. *Lut* —5G **15** (2A **29**)
Frank Hamel Ct. *Bar C* —3C **28**
Frank Lester Way. *Lut* —5D **16**
Franklin Av. *Bar C* —2B **28**
Franklin Rd. *Dunst* —5B **12**
Frederick St. *Lut* —5J **15** (2C **29**)
Frederick St. Pas. *Lut* —4J **15** (2B **29**)
Freeman Av. *Lut* —4F **9**
Freemans Clo. *H Reg* —1C **12**
Frenchmans Clo. *Tod* —6A **4**
French's Av. *Dunst* —3A **12**
(in two parts)
Freshwater Clo. *Lut* —5D **8**
Friars Clo. *Lut* —1F **23**
Friars Ct. *Lut* —1F **23**
Friars Wlk. *Dunst* —6D **12**
Friars Way. *Lut* —1F **23**
Friary Fld. *Dunst* —5D **12**
Friday St. *L Buz* —5E **26**
Friesian Clo. *Lut* —2J **13**
Friston Grn. *Lut* —4D **16**
Frome Clo. *Lut* —1C **14**
Front St. *S End* —5G **23**
Fulbourne Clo. *Lut* —3C **14**
Furlong La. *Tot* —3J **19**
Furness Av. *Dunst* —6E **12**
Furrows, The. *Lut* —5F **9**
Furze Clo. *Lut* —5H **9**
Furzen Clo. *Dunst* —1E **20**
Fyne Dri. *L Buz* —4B **26**

Gables, The. *L Buz* —6D **26**
*Gable Way. H Reg —6F **7***
(off Sycamore Rd.)
Gadsby Ct. *Lut* —6B **29**
Gainsborough Ct. *Lut* —3K **15**
Gainsborough Dri. *H Reg* —7F **7**
Gaitskill Ter. *Lut* —5K **15** (3E **29**)
Gale Ct. *Bar C* —3C **28**
Gallery, The. *Lut* —4D **29**
Galliard Clo. *Lut* —1F **15**
Galston Rd. *Lut* —4B **8**
*Garden Ct. Lut —1E **14***
(off Gardenia Av.)
Garden Hedge. *L Buz* —4F **27**
Gardenia Av. *Lut* —1D **14**
Gardenia Av. Pas. *Lut* —1E **14**
Garden Leys. *L Buz* —6H **27**
Garden Rd. *Dunst* —6E **12**
Gardens End. *H Reg* —7E **6**
Gardner Ct. *Lut* —2J **23**
Gardners Clo. *Dunst* —6A **12**
Garfield Ct. *Lut* —2D **16**
Garland Way. *L Buz* —7H **27**
Garrett Clo. *Dunst* —1F **21**
Garretts Mead. *Lut* —2B **16**
Gatehill Gdns. *Lut* —3F **9**
Gayland Av. *Lut* —5B **16**
Gayton Clo. *Lut* —1F **15**
Gelding Clo. *Lut* —7H **7**
Gemini Clo. *L Buz* —4J **27**
George St. *Dunst* —4D **12**
George St. *L Buz* —5G **27**
George St. *Lut* —6J **15** (4C **29**)
George St. W. *Lut* —6J **15** (5C **29**)
Gibson Dri. *L Buz* —7H **27**
Gilded Acre. *Dunst* —1E **20**
Gilder Clo. *Lut* —4E **8**
Gilderdale. *Lut* —6K **7**
Gillam St. *Lut* —5J **15** (3D **29**)
*Gillan Way. H Reg —6G **7***
(off Houghton Pk. Rd.)
Gilpin Clo. *H Reg* —7F **7**
Gilpin St. *Dunst* —3C **12**
Gipsy La. *Lut* —7A **16**
Gladstone Av. *Lut* —6G **15**
Glaisdale. *Lut* —7A **8**
Glebe Gdns. *Harl* —1H **5**
Glemsford Clo. *Lut* —6K **7**
Gleneagles Dri. *Lut* —6J **9**
Glenfield Rd. *Lut* —6G **9**
Glenn Cft. *Lut* —4H **15** (1B **29**)
Glen, The. *Cad* —3C **22**
Globe La. *L Buz* —3D **26**
Gloucester Rd. *Lut* —7K **15** (5E **29**)
Godfreys Clo. *Lut* —7F **15**
Godfreys Ct. *Lut* —7F **15**
Goldcrest Clo. *Lut* —7J **7**
Golden Riddy. *L Buz* —4D **26**
Goldstone Cres. *Dunst* —3F **13**
Good Intent. *Edl* —6E **18**
Gooseberry Hill. *Lut* —6F **9**
Gordon St. *Lut* —6H **15** (4B **29**)
Gorham Way. *Dunst* —3H **13**
Goshawk Clo. *Lut* —1J **13**
Gosling Av. *Offl* —2J **11**
Goswell End. —1H 5
Goswell End Rd. *Harl* —1H **5**
Graham Gdns. *Lut* —1G **15**
Graham Rd. *Dunst* —6G **13**
Grampian Way. *Lut* —4A **8**
Granby Rd. *Lut* —2B **14**
Grange Av. *Lut* —1B **14**
Grange Clo. *L Buz* —6C **26**
Grange Gdns. *Tod* —5B **4**
Grange Rd. *Bar C* —2B **28**
Grange Rd. *Tod* —5B **4**
Grange, The. *Tod* —6B **4**
Grange Wlk. *Tod* —5B **4**
Grange Way. *H Reg* —6G **7**
Gransden Clo. *Lut* —5E **8**
Grantham Rd. *Lut* —4E **14**
Granville Rd. *Lut* —5F **15**
Graphic Clo. *Dunst* —7F **13**
Grasmere Av. *Lut* —5F **9**
Grasmere Clo. *Dunst* —6D **12**
Grasmere Rd. *Lut* —5F **9**
*Grasmere Wlk. H Reg —6E **6***
(off Sycamore Rd.)
Grasmere Way. *L Buz* —5C **26**
Grays Clo. *Bar C* —2C **28**
Great Cutts. —7H 25
Gt. Northern Rd. *Dunst* —6E **12**
Great Offley. —1J 11
Greaves Way. *L Buz* —6J **27**
Greaves Way Ind. Est. *L Buz* —6J **27**
Green Acres. *Lil* —2D **10**
Greenacres Cvn. Site. *Kens* —6H **21**

Green Bushes. *Lut* —6B **8**
Green Clo. *Lut* —7A **8**
Green Ct. *Lut* —7K **7**
Greenfield Clo. *Dunst* —4A **12**
Greengate. *Lut* —4A **8**
Greenhill. *L Buz* —3F **27**
Greenhill Av. *Lut* —2H **15**
Greenlands. *L Buz* —4H **27**
Green La. *Dunst* —1J **19**
Green La. *Eat B* —3D **18**
Green La. *Kens* —6G **21**
Green La. *Lut* —1B **16**
Green Oaks. *Lut* —2K **15**
Greenriggs. *Lut* —3F **17**
Greenside Pk. *Lut* —2J **15**
Green, The. *Cad* —2C **22**
Green, The. *Edl* —6F **19**
Green, The. *H Reg* —1E **12**
Green, The. *Lut* —7A **8**
Green, The. *P Grn* —3J **25**
Greenways. *Eat B* —3D **18**
Greenways. *Lut* —7B **10**
Gregories Clo. *Lut* —4H **15** (1B **29**)
Gresham Clo. *Lut* —5D **16**
Griffin Golf Course. —6A **14**
Grosvenor Rd. *Lut* —7F **9**
Grovebury Clo. *Dunst* —7F **13**
Grovebury Pl. Est. *L Buz* —7F **27**
Grovebury Rd. *L Buz* —7E **26**
 (in two parts)
Grovebury Rd. Ind. Est. *L Buz* —7F **27**
 (Chartmoor Rd.)
Grovebury Rd. Ind. Est. *L Buz* —6F **27**
 (Grovebury Rd.)
Grove Cvn. Site. *Wood* —3F **23**
Grove End. *Lut* —1F **23**
Grove Pk. Rd. *Wood* —3F **23**
Grove Pl. *Kens* —5G **21**
Grove Pl. *L Buz* —6F **27**
Grove Rd. *Dunst* —6F **13**
Grove Rd. *H Reg* —5E **6**
Grove Rd. *L Buz* —6F **27**
Grove Rd. *Lut* —6H **15** (4A **29**)
Grove Rd. *S End* —4F **23**
Grove, The. *Lut* —1F **23**
Guardian Ind. Est. *Lut* —5G **15**
Guernsey Clo. *Lut* —2H **13**
Guildford St. *Lut* —5J **15** (3C **29**)
Gurney Ct. *Eat B* —4F **19**

Haddon Rd. *Lut* —5K **15**
Hadley Ct. *Lut* —1A **29**
Hadlow Down Clo. *Lut* —7E **8**
Hadrian Av. *Dunst* —3G **13**
Hagdell Rd. *Lut* —1G **23**
Half Moon La. *Dunst* —6F **13**
Half Moon La. *Mark & Pep* —7D **22**
Half Moon La. *Pep* —6G **23**
Half Moon Pl. *Dunst* —6F **13**
Halfway Av. *Lut* —4B **14**
Halley's Way. *H Reg* —1F **13**
Hallwicks Rd. *Lut* —2B **16**
Halyard Clo. *Lut* —6F **9**
Hambling Pl. *Dunst* —5B **12**
Hambro Clo. *E Hyde* —7F **25**
Hamer Ct. *Lut* —4H **9**
Hamilton Ct. *L Buz* —5F **27**
 (off Lammas Wlk.)
Hammersmith Clo. *H Reg* —7E **6**
Hammersmith Gdns. *H Reg* —6E **6**
Hammond Ct. *S End* —5G **23**
Hampshire Way. *Lut* —3B **8**
Hampton Rd. *Lut* —4F **15**
Hancock Dri. *Lut* —6J **9**
Handcross Rd. *Lut* —2D **16**
Hanover Ct. *L Buz* —5C **26**
Hanover Ct. *Lut* —7B **8**
Hanover Pl. *Bar C* —1C **28**
Hanswick Clo. *Lut* —3B **16**
Hanworth Clo. *Lut* —5H **9**
Harbury Dell. *Lut* —5F **9**
Harcourt Clo. *L Buz* —5D **26**
Harcourt St. *Lut* —1J **23** (7C **29**)
Harding Clo. *Lut* —5C **8**
Hardwick Grn. *Lut* —5E **8**
Harefield Rd. *Lut* —5D **14**

Harlestone Clo. *Lut* —3E **8**
Harling Rd. *Eat B* —6G **19**
Harlington. —1H 5
Harlington Rd. *Harl* —1J **5**
Harlington Rd. *S'dn* —5K **5**
Harlington Rd. *Tod* —4C **4**
Harmill Ind. Est. *L Buz* —7F **27**
 (Chartmoor Rd.)
Harmill Ind. Est. *L Buz* —7F **27**
 (Grovebury Rd.)
Harmony Row. *L Buz* —7K **27**
Harold Rd. *Bar C* —2C **28**
Harrington Heights. *H Reg* —7C **6**
Harris Ct. *Bar C* —1B **28**
Harris La. *Lut* —1A **16**
Harris La. *Offl* —2K **11**
Harrowden Ct. *Lut* —5B **16**
Harrowden Rd. *Lut* —5B **16**
Harrow Rd. *L Buz* —6G **27**
Harry Scott Ct. *Lut* —6A **8**
Hart Hill. —5K 15
Hart Hill Dri. *Lut* —5K **15** (3E **29**)
Hart Hill La. *Lut* —5K **15** (3E **29**)
Hart Hill Path. *Lut* —5K **15** (3E **29**)
Hart La. *Lut* —4A **16**
Hartley Rd. *Lut* —5K **15** (3E **29**)
Hartop Ct. *Lut* —5D **16**
Hartsfield Rd. *Lut* —3A **16**
Hart Wlk. *Lut* —4A **16**
Hartwell Cres. *L Buz* —5F **27**
Hartwell Gro. *L Buz* —5F **27**
Hartwood. Lut —5K **15**
 (off Hart Hill Dri.)
Harvest Clo. *Lut* —2J **13**
Harvester Ct. *L Buz* —5J **27**
Harvey Rd. *Dunst* —3K **19**
Harvey's Hill. *Lut* —7K **9**
Hasketon Dri. *Lut* —6K **7**
Hastings Rd. *Bar C* —2C **28**
Hastings St. *Lut* —7H **15** (6B **29**)
Hathaway Clo. *Lut* —3K **13**
Hatters Way. *Lut* —4K **13**
Havelock Ri. *Lut* —4J **15**
Havelock Rd. *Lut* —4J **15** (1C **29**)
Haverdale. *Lut* —1A **14**
Hawkfields. *Lut* —6J **9**
Hawthorn Av. *Lut* —1B **16**
Hawthorn Clo. *Dunst* —6E **12**
Hawthorn Cres. *Cad* —3C **22**
Hawthorne Clo. *L Buz* —4D **26**
Haycroft. *Lut* —6J **9**
Hayes Clo. *Lut* —7B **10**
Hayhurst Rd. *Lut* —3K **13**
Hayley Ct. *H Reg* —6E **6**
Hayling Dri. *Lut* —2D **16**
Haymarket Rd. *Lut* —1G **13**
Hayton Clo. *Lut* —2F **9**
Hazelbury Ct. *Lut* —5G **15**
 (off Hazelbury Cres.)
Hazelbury Cres. *Lut* —5G **15**
Hazelwood Clo. *Lut* —1B **16**
Heacham Clo. *Lut* —1K **13**
Heath Clo. *Lut* —7F **15**
Heath Ct. *L Buz* —1D **26**
Heather Mead. *Eat B* —5E **19**
Heathfield Clo. *Cad* —2D **22**
Heathfield Path. *Lut* —2D **22**
Heathfield Rd. *Lut* —1G **15**
Heath, The. —3K 17
Heath, The. *B Grn* —3K **17**
Heath, The. *L Buz* —1D **26**
Heathwood Clo. *L Buz* —1F **27**
Heaton Dell. *Lut* —4E **16**
Hebden Clo. *Lut* —1K **13**
Hedgerow, The. *Lut* —7B **8**
Hedley Ri. *Lut* —3E **16**
Heights, The. Lut —7C **8**
 (off Marsh Rd.)
Helmsley Clo. *Lut* —7A **8**
Hemingford Dri. *Lut* —6H **9**
Henge Way. *Lut* —5B **8**
Henley Clo. *H Reg* —7G **7**
Henstead Pl. *Lut* —4D **16**

Hercules Clo. *L Buz* —4H **27**
Hereford Rd. *Lut* —2J **13**
Herne Clo. *Tod* —4A **4**
Heron Dri. *Lut* —6J **9**
Heron Trad. Est., The. *Lut* —5A **8**
Heswall Ct. *Lut* —7E **29**
Hewlett Rd. *Lut* —7C **8**
Hexton Rd. *Bar C* —3C **28**
Hexton Rd. *Lil* —1B **10**
Heywood Dri. *Lut* —3K **15**
Hibbert St. *Lut* —7J **15** (7C **29**)
Hibbert St. Almshouses. *Lut* —7C **29**
Hibbert St. Pas. *Lut* —7C **29**
Hickling Clo. *Lut* —4D **16**
Hickman Ct. *Lut* —4B **8**
Higham Dri. *Lut* —4D **16**
Higham Gobion Rd. *Bar C & H Gob* —1C **28**
High Beech Rd. *Lut* —5B **8**
Highbury Rd. *Lut* —4G **15**
Highcroft. *L Buz* —6H **27**
Highfield Rd. *L Buz* —5H **27**
Highfield Rd. *Lut* —4F **15**
Highfields Clo. *Dunst* —3J **13**
High Mead. *Lut* —2E **14**
Highover Clo. *Lut* —4B **8**
High Point. Lut —7H **15** (7B **29**)
 (off Ruthin Clo.)
High Ridge. *Lut* —4C **16**
High St. *Eat B* —4D **18**
High St. *Edl* —7E **18**
High St. *H Reg* —1D **12**
High St. *L Buz* —5E **26**
High St. *Lut* —2A **14**
High St. *Offl* —1J **11**
High St. *Tod* —6B **4**
High St. N. *Dunst* —3B **12**
High St. S. *Dunst* —5D **12**
High Town. —4J 15
High Town Enterprise Cen. *Lut* —2E **29**
Hightown Recreation Cen. —5J **15** (2C **29**)
High Town Rd. *Lut* —5J **15** (3D **29**)
High Wood Clo. *Lut* —6D **14**
Hillary Clo. *Lut* —5B **8**
Hillary Cres. *Lut* —7G **15**
Hillborough Cres. *H Reg* —5E **6**
Hillborough Rd. *Lut* —7H **15** (7A **29**)
Hill Clo. *Lut* —5G **9**
Hill Clo. *W'fld* —3A **6**
Hillcrest Av. *Lut* —4G **9**
Hillcrest Cvn. Site. *Wood* —4D **22**
Hillcroft. *Dunst* —4A **12**
Hillcroft Clo. *Lut* —6A **8**
Hill Ri. *Lut* —5A **8**
Hill Side. *H Reg* —7D **6**
Hillside Rd. *Dunst* —6F **13**
Hillside Rd. *L Buz* —2F **27**
Hillside Rd. *Lut* —4H **15** (1A **29**)
Hills Vw. *S'dn* —7K **5**
Hilltop Cotts. *Offl* —1J **11**
Hilltop Ct. *Lut* —6G **15**
Hillview Cres. *Lut* —5G **9**
Hillyfields. *Dunst* —7E **12**
Hilton Av. *Dunst* —7D **12**
Himley Grn. *L Buz* —6B **26**
Hinton Clo. *L Buz* —5J **27**
Hinton Wlk. *H Reg* —6G **7**
Hitchin Rd. *Lut* —2A **16**
Hockliffe Rd. *L Buz* —5G **27**
Hockliffe St. *L Buz* —5F **27**
Hockwell Ring. *Lut* —7K **7**
Holford Clo. *Lut* —1H **23**
Holford Way. *Lut* —3F **9**
Holgate Dri. *Lut* —2K **13**
Holkham Clo. *Lut* —1J **13**
Holland Rd. *Lut* —3F **15**
Hollick's La. *Kens* —5F **21**
Holliwick Rd. *Dunst* —3G **13**
Hollybush Hill. *Lut* —3F **11**
Hollybush Rd. *Lut* —4C **16**
Holly Farm Clo. *Cad* —3C **22**
Holly St. *Lut* —7J **15** (6C **29**)
Holly St. Trad. Est. *Lut* —7J **15** (6C **29**)
Hollywell Clo. *Dunst* —7F **13**
Hollywell Clo. *Stud* —7E **20**
Holmbrook Av. *Lut* —7G **9**
Holmfield Clo. *Tod* —6A **4**
Holmscroft Rd. *Lut* —6D **8**
Holmwood Clo. *Dunst* —3F **13**

Holts Ct. Dunst—4D 12
Holtsmere Clo. Lut—4D 16
Holywell Ct. Lut—1F 15
Holywell Rd. Stud—7D 20
Home Clo. Lut—7A 8
Home Ct. Lut—1A 14
Homedale Dri. Lut—3B 14
Homerton Rd. Lut—6E 8
Homestead Way. Lut—1G 23
Honeygate. Lut—1J 15
Honeysuckle La. Offl—1G 11
Honeywick. —2E 18
Honeywick La. Eat B—2E 18
Hoo Cotts. Offl—3K 11
Hoo Farm Cotts. Offl—3K 11
Hoo La. Offl—3K 11
Hoo St. Lut—1J 23 (7D 29)
Horace Brightman Clo. Lut—5E 8
Hornbeam Clo. L Buz—4H 27
Hornsby Clo. Lut—4C 16
Horsham Clo. Lut—3D 16
Horsler Clo. Bar C—3C 28
Houghton Ct. H Reg—1E 12
Houghton Hall Park. —1E 12
Houghton M. Lut—7H 15 (7B 29)
(off Windsor St.)
Houghton Pde. Dunst—3C 12
Houghton Park. —6G 7
Houghton Pk. Rd. H Reg—6G 7
Houghton Regis. —1D 12
Houghton Regis Ind. Est. H Reg—1D 12
HOUGHTON REGIS LEISURE CEN. —5G 7
Houghton Rd. Chal—4H 7
Houghton Rd. Dunst—3C 12
Howard Clo. Lut—1E 14
Howard Pl. Dunst—6F 13
Hoylake Ct. Lut—1K 23
Huckleberry Clo. Lut—4E 8
Humberstone Clo. Lut—3C 14
Humberstone Rd. Lut—3C 14
Humphrey Talbot Av. Kens—7B 20
Humphrys Rd. Wood E—2F 13
Hunston Clo. Lut—7K 7
Hunts Clo. Lut—7G 15
Hurlock Clo. Dunst—7C 12
Hurlock Way. Lut—7A 8
Hurst Way. Lut—7C 8
Hyde La. Lut—4H 25
Hyde Rd. Cad—2C 22
Hyde, The. Tod—7B 4
Hydrus Dri. L Buz—4J 27

Ickley Clo. Lut—7K 7
Icknield Rd. Lut—1D 14
Icknield St. Dunst—5D 12
Icknield Vs. Dunst—5D 12
(off Icknield St.)
Icknield Way. Lut—6E 8
Idenbury Ct. Lut—6G 15
Ilford Clo. Lut—2C 16
Imberfield. Lut—2A 14
Index Ct. Dunst—6F 13
Index Dri. Dunst—6F 13
Ingram Gdns. Lut—5H 9
Inkerman St. Lut—6H 15 (4B 29)
Isis Wlk. L Buz—1G 27
Isle of Wight La. Kens—2B 20
Ivel Clo. Bar C—2D 28
Ivester Ct. L Buz—6D 26
Ivinghoe Bus. Cen. H Reg—2D 12
Ivy Clo. Dunst—4A 12
Ivy Ct. Lut—5F 15
Ivy Rd. Lut—5G 15

Jacksons Clo. Edl—6E 18
James Ct. Lut—3K 13
Jardine Way. Dunst—6G 13
Jasmine Clo. Lut—1K 15
Jaywood. Lut—6C 10
Jeans Way. Dunst—5G 13
Jeremiah Clo. Bar C—2C 28
Jerrard Clo. L Buz—6J 27
Jersey Rd. Lut—2J 13
Jillifer Rd. Lut—2J 13
Johnson Ct. H Reg—7F 7
John St. Lut—6J 15 (4D 29)
Jubilee St. Lut—4K 15 (1E 29)
Judges La. L Buz—6E 26
Julia Ct. Lut—1F 15
Julius Gdns. Lut—5D 8
Juniper Clo. Lut—3C 14
Jupiter Dri. L Buz—4J 27

Katherine Dri. Dunst—3G 13
Keaton Clo. H Reg—7F 7
Keeble Clo. Lut—4E 16
KEECH COTTAGE CHILDREN'S HOSPICE. —3E 8
Keepers Clo. Lut—3C 16
Kelling Clo. Lut—4G 9
Kelvin Clo. Lut—7J 15 (7C 29)
Kempsey Clo. Lut—3D 16
Kendal Clo. Lut—5B 8
Kendale Rd. Lut—3K 13
Kendal Gdns. L Buz—5B 26
Kenilworth Rd. Lut—5G 15
Kennedy Ct. L Buz—5E 26
(off Bassett Rd.)
Kenneth Rd. Lut—4A 16
Kennington Rd. Lut—2F 15
Kensington Clo. H Reg—1G 13
Kensworth. —5G 21
Kensworth Common. —6G 21
Kensworth Ho. Kens—4J 21
Kensworth Lynch. —5J 21
Kent Rd. H Reg—6F 7
(in two parts)
Kent Rd. Lut—5D 14
Kentwick Sq. H Reg—5F 7
Kernow Ct. Lut—4A 16
Kershaw Clo. Lut—4E 8
Kestrel Way. Lut—7J 7
Keswick Clo. Dunst—6D 12
Ketton Clo. Lut—6A 16
Ketton Ct. Lut—6A 16
Keymer Clo. Lut—2C 16
Kidner Clo. Lut—7J 9
Kilmarnock Dri. Lut—7J 9
Kimberley Clo. Lut—2G 13
Kimberwell Clo. Tod—7B 4
Kimpton Bottom. Hpdn & Kim—7K 25
Kimpton Rd. Lut—7A 16
Kimpton Rd. P Grn & Kim—3J 25
Kingham Way. Lut—4J 15 (1C 29)
Kingsbury Av. Dunst—4G 13
Kingsbury Ct. Dunst—5E 12
Kingsbury Gdns. Dunst—4H 13
Kings Ct. Dunst—4E 12
Kingscroft Av. Dunst—4D 12
Kingsdown Av. Lut—1H 15
Kingshill La. Lut—1C 10
Kingsland Clo. H Reg—1G 13
Kingsland Ct. Lut—7E 29
Kingsland Rd. Lut—7K 15 (7E 29)
Kingsley Rd. Lut—7E 8
Kings Mead. Edl—7E 18
Kingsmead Ct. Dunst—3C 12
(off High St. N.)
Kingston Rd. Lut—4K 15 (1E 29)
King St. Dunst—6E 12
(Dunstable)
King St. Dunst—1D 12
(Houghton Regis)
King St. L Buz—4F 27
King St. Lut—6J 15 (5B 29)
King's Walden Rd. Offl—2J 11
Kingsway. Dunst—4E 12
Kingsway. Lut—4E 14
Kingsway Ind. Est. Lut—5E 14
King William Clo. Bar C—1D 28
Kinmoor Clo. Lut—3B 8
Kinross Cres. Lut—4A 8
Kirby Dri. Lut—3D 8
Kirby Rd. Dunst—5C 12
Kirkdale Ct. Lut—7D 29
Kirkstone Dri. Dunst—7D 12
Kirkwood Rd. Lut—2G 13
Kirton Way. H Reg—6G 7
Kiteley's Grn. L Buz—4H 27
Knaves Hill. L Buz—4C 26
Knights Clo. Eat B—5E 18
Knights Ct. Eat B—5E 18
Knights Fld. Lut—4H 15
Knoll Ri. Lut—1J 15
Knolls Vw. Tot—1F 19
Knotts Clo. Dunst—1E 20
Kynance Clo. Lut—2A 16

Laburnum Clo. Lut—5G 9
Laburnum Ct. L Buz—5E 26
Laburnum Gro. Lut—5F 9
Lachbury Clo. Lut—7E 14
Ladyhill. Lut—6K 7
Lady Yules Wlk. Kens—6A 20
Lakefield Av. Tod—6B 4
Lake St. L Buz—6F 27
Lalleford Rd. Lut—4C 16
Lambourn Dri. Lut—6J 9
Lambs Clo. Dunst—4H 13
Lamers Rd. Lut—3B 16
Lammas Wlk. L Buz—5F 27
Lamorna Clo. Lut—6D 8
Lancaster Av. Lut—4G 9
Lancaster Clo. Bar C—1D 28
Lancing Rd. Lut—2D 16
Lancot Av. Dunst—6A 12
Lancotbury Clo. Tot—3H 19
Lancot Dri. Dunst—5A 12
Lancrets Path. Lut—6H 15 (4B 29)
Landrace Rd. Lut—1G 13
Lane, The. Chal—3G 7
Langdale Clo. Dunst—6E 12
Langdale Rd. Dunst—6D 12
Langford Dri. Lut—2A 16
Langham Clo. Lut—5H 9
Langley St. Lut—7J 15 (6D 29)
Langley Ter. Ind. Pk. Lut—7D 29
Langridge Ct. Dunst—4B 12
Lansdowne Rd. Lut—4G 15 (1A 29)
Laporte Way. Lut—4D 14
Lapwing Rd. Lut—1J 13
Larches, The. Lut—4H 15 (1B 29)
Larkspur Gdns. Lut—3D 14
Latimer Rd. Lut—7J 15 (7D 29)
Launton Clo. Lut—3F 9
Laurelside Wlk. Dunst—3J 13
Laurels, The. Lut—1B 14
Lavender Clo. Lut—5J 9
Lawford Clo. Lut—6G 15
Lawn Gdns. Lut—1H 23 (7B 29)
Lawn Path. Lut—3G 23 (7B 29)
Lawns Clo. Offl—2J 11
Lawns, The. Dunst—4D 12
Lawrence End Park. —2J 25
Lawrence End Rd. P Grn—3J 25
Lawrence Ind. Est. Dunst—3B 12
Lawrence Way. Dunst—3B 12
Laxton Clo. Lut—4E 16
Layham Dri. Lut—4D 16
Leabank. Lut—6C 8
(off Penhill)
Lea Bank Ct. Lut—6C 8
Lea Bridge Corner. —7F 25
Leafield. Lut—6C 8
(Five Springs)
Leafield. Lut—1D 14
(Marsh Rd.)
Leafields. H Reg—6E 6
Leaf Rd. H Reg—6D 6
Leagrave. —1A 14
Leagrave High St. Lut—2H 13
Leagrave Rd. Lut—2E 14
LEA MANOR RECREATION CEN. —4C 8
Leamington Rd. Lut—5E 8
Lea Rd. Lut—6K 15 (5E 29)
Learoyd Way. L Buz—6J 27
Leaside. H Reg—6G 7
Leathwaite Clo. Lut—6D 8
Ledburn Gro. L Buz—6D 26
Ledwell Rd. Cad—3D 22
Leedon. —6H 27
Leedon Furlong. L Buz—5H 27
Leghorn Cres. Lut—2J 13
Leicester Rd. Lut—4C 14
Leigh Clo. Tod—5B 4
Leighton Buzzard. —5E 26
LEIGHTON BUZZARD GOLF COURSE. —1F 27

Leighton Buzzard Narrow Gauge Railway. —3H 27
Leighton Ct. Dunst—5C 12
Leighton Rd. Dunst—4A 18
(Soulbury Rd.)
Leighton Rd. L Buz—3A 26
(Toddington Rd.)
Leighton Rd. L Buz & Tod—6A 4
Lennon Ct. Lut—6H 15
Lennox Grn. Lut—3F 17
Leopold Rd. L Buz—5C 26
Lesbury Clo. Lut—4E 16
Leston Clo. Dunst—1F 21
Letchworth Rd. Lut—1E 14
Leven Clo. L Buz—5A 26
Levendale. Lut—7A 8
Lewsey Farm. —1H 13
Lewsey Pk. Ct. Lut—1J 13
Lewsey Pk. Pool. —2J 13
Lewsey Rd. Lut—2K 13
Leyburne Rd. Lut—6F 9
Leygreen Clo. Lut—5A 16
Leyhill Dri. Lut—2F 23
Library Rd. Lut—6J 15 (4C 29)
Liddel Clo. Lut—2E 14
Liddell Way. L Buz—7J 27
Lidgate Clo. Lut—6K 7
Life Clo. Lut—1H 13
Lighthorne Ri. Lut—4E 8
Lilac Gro. Lut—3A 8
Lilley. —3D 10
Lilley Bottom. Lil & K Wal—3E 10
Lilleyhoo La. Lil—2F 11
Lilley Pk. —3C 10
Limbury. —1D 14
Limbury Mead. Lut—6D 8
Limbury Rd. Lut—1D 14
Lime Av. Lut—2K 13
Lime Clo. Bar C—2C 28
Lime Gro. L Buz—4D 26
Limetree Av. Lut—7A 24
Lime Tree Clo. Lut—3A 8
Lime Wlk. Dunst—5F 13
Linacres. Lut—1B 14
Linbridge Way. Lut—3E 16
Lincoln Clo. Dunst—7G 13
Lincoln Rd. Lut—4F 15
Lincoln Way. Harl—1H 5
Lincombe Slade. L Buz—4D 26
Linden Clo. Dunst—4H 13
Linden Ct. Lut —5K 15
(off Crescent Rd.)
Linden Rd. Dunst—3H 13
Linden Rd. Lut—1B 14
(in two parts)
Lindens, The. H Reg—1D 12
Lindsey Rd. Lut—4D 16
Links Way. Lut—4H 9
Link, The. H Reg—7D 6
Linley Dell. Lut—3D 16
Linmere Wlk. H Reg—6G 7
Linnet Clo. Lut—1J 13
Linslade. —5B 26
Linwood Gro. L Buz—6G 27
Lippitts Hill. Lut—7J 9
Liscombe Rd. Dunst—4G 13
Liston Clo. Lut—7K 7
Little Berries. Lut—5C 8
Lit. Church Rd. Lut—2B 16
Little Cutts. —6J 25
Littlefield Rd. Lut—2B 16
Littlegreen La. Cad—4C 22
Lit. Meadow Cvn. Pk. Wood—3E 22
Lit. Wood Cft. Lut—5C 8
Liverpool Rd. Lut—6H 15 (4A 29)
Locarno Av. Lut—6A 8
Lochy Dri. L Buz—5B 26
Lockhart Clo. Dunst—7G 13
Lockington Cres. Dunst—3G 13
Loftus Clo. Lut—2K 13
Lollard Clo. Lut—2G 13
Lomond Dri. L Buz—5A 26
London Luton Airport. —6E 16
London Rd. Dunst—6F 13
(in two parts)
London Rd. Lut & Hpdn—1H 23 (7B 29)
Longbrooke. H Reg—1F 13
Long Clo. Lut—2C 16
Longcroft Dri. Bar C—3B 28
Long Cft. Rd. Lut—6E 14
Longfield Dri. Lut—4B 14
Long Hedge. Dunst—5F 13
Long La. Tod—4B 4
Long Mead. H Reg—6D 6
Long Mdw. Dunst—5C 12
Longmeadow. H Reg—7G 7
Lonsdale Clo. Lut—7E 8
Lords Mead. Eat B—4E 18
Lords Ter. E Hyde —7F 25
(off Southern Ri.)
Lorimer Clo. Lut—6J 9
Loring Rd. Dunst—4B 12
Lothair Rd. Lut—1A 16
Lovent Dri. L Buz—5G 27
Lovers Wlk. Dunst—5E 12
Lovett Way. Wood E—2F 13
Lower End. —2F 19
Lwr. Harpenden Rd. Lut—1B 24
Lower Sundon. —1A 8
Lowry Dri. H Reg—7F 7
Lowther Rd. Dunst—7E 12
Loyne Clo. L Buz—4B 26
Lucas Gdns. Lut—4F 9
Lucerne Way. Lut—1G 15
Ludlow Av. Lut—2J 23
Ludun Clo. Dunst—5G 13
Lullington Clo. Lut—2C 16
Luton. —6J 15
Luton Airport. —6E 16
LUTON & DUNSTABLE HOSPITAL. —3A 14
Luton Dri., The. Lut—2B 24
Luton Hoo. —4B 24
Luton Hoo Estate. —6A 24
Luton Hoo Pk. —4A 24
Luton Mus. & Art Gallery. —3H 15
Luton Regional Sports Cen. —7K 9
Luton Rd. Cad—2C 22
Luton Rd. C'hoe—2E 16
Luton Rd. Dunst—4F 13
Luton Rd. Lut—7A 28
Luton Rd. Mark—7C 22
Luton Rd. Offl—2G 11
Luton Rd. Tod & Chal—5C 4
Luton Town F.C. —5G 15
Luton White Hill. Lut & Offl—4G 11
Luxembourg Clo. Lut—4B 8
Lychgate. S'dn—7K 5
Lye Hill. Lut & B Grn—6K 17
Lygetun Dri. Lut—6C 8
Lynch Hill. Kens—6J 21
Lynch, The. Kens—4H 21
Lyndhurst Rd. Lut—6G 15
Lyneham Rd. Lut—4C 16
Lynwood Av. Lut—2K 15
Lynwood Lodge. Dunst—4C 12
Lyra Gdns. L Buz—4J 27
Lywood Rd. L Buz—6H 27

Macaulay Rd. Lut—3J 13
Magpies, The. Lut—6J 9
Maidenbower Av. Dunst—4B 12
Maidenhall Rd. Lut—3E 14
Malham Clo. Lut—2D 14
Mallard Gdns. Lut—7E 8
Mallow, The. Lut—2D 14
Mall, The. Dunst—4E 12
Malms Clo. Kens—5F 21
Malthouse Grn. Lut—4F 17
Maltings, The. Dunst—4C 12
Maltings, The. L Buz—6G 27
Malvern Dri. L Buz—4B 26
Malvern Rd. Lut—6F 15
Malzeard Ct. Lut—1A 29
Malzeard Rd. Lut—4G 15 (1A 29)
Manchester Pl. Dunst—4D 12
Manchester St. Lut—6J 15 (4B 29)
Mancroft Rd. Cad—3B 22
Mander Clo. Tod—5B 4
Mangrove Green. —1E 16
Mangrove Rd. C'hoe—1E 16
Mangrove Rd. Lut—2C 16
Manning Ct. H Reg—7E 6
Manning Pl. Lut—3E 16
Mannock Way. L Buz—7J 27
Manor Clo. Harl—1H 5
Manor Clo. H Reg—1D 12
Manor Ct. Cad—2D 22
Manor Ct. L Buz—2C 26
Mnr. Farm Clo. Bar C—2C 28
Mnr. Farm Clo. Lut—2A 14
Manor Pk. H Reg—1D 12
Manor Rd. Bar C—2C 28
Manor Rd. Cad—2C 22
Manor Rd. L Sun—1K 7
Manor Rd. Lut—7K 15 (6E 29)
Manor Rd. Tod—4B 4
Mansfield Rd. Lut—4F 15
Manshead Ct. Dunst—7F 13
Manton Dri. Lut—1H 15
Manton Rd. Eat B—5K 19
Manx Clo. Lut—3E 14
Maple Ct. Lut—7B 29
Maple Rd. E. Lut—5F 15
Maple Rd. W. Lut—5F 15
Maple Way. H Reg—6G 7
Maple Way. Kens—6G 21
Marbury Pl. Lut—7D 8
Mardale Av. Dunst—7E 12
Mardle Clo. Cad—4C 22
Mardle Rd. L Buz—6D 26
Maree Clo. L Buz—5B 26
Marina Dri. Dunst—6A 12
Market Ct. L Buz —5F 27
(off Hockcliffe St.)
Market Hall. Lut—6J 15 (4D 29)
Market Pl. Eat B—4D 18
Market Sq. L Buz—5F 27
Market Sq. Lut—7F 15
Market Sq. Tod—5B 4
Markfield Clo. Lut—6G 9
Markham Cres. Dunst—3G 13
Markham Rd. Lut—4G 9
Markyatecell Pk. —7C 22
Markyate Rd. S End—6E 22
Marlborough Footpath. Lut—4H 15
Marlborough Pl. Tod—5B 4
Marlborough Rd. Lut—4G 15
Marley Fields. L Buz—6J 27
Marlin Ct. Lut—1G 13
Marlin Rd. Lut—1G 13
Marlow Av. Lut—5E 14
Marquis Ct. Lut—1B 29
Marriott Rd. Lut—6F 9
Marshall Rd. Lut—3C 16
Marsh Farm. —5C 8
Marsh Ho. Lut—1D 14
Marsh Rd. Lut—7C 8
Marsom Gro. Lut—4F 9
Marston Gdns. Lut—1H 15
Martindales, The. Lut —4E 29
Martins Dri., The. L Buz—4E 26
Mary Brash Ct. Lut—2C 16
Maryport Rd. Lut—3E 14
Masters Clo. Lut—1F 23
Matlock Cres. Lut—4A 14
Matthew St. Dunst—5D 12
Maulden Clo. Lut—4C 16
Maundsey Clo. Dunst—1E 20
May Clo. Eat B—4E 18
Mayer Way. H Reg—2D 12
Mayfield Rd. Dunst—7F 13
(in two parts)
Mayfield Rd. Lut—1B 16
Mayne Av. Lut—7A 8
May St. Lut—1J 23 (7D 29)
Meadhook Dri. Bar C—2B 28
Meadow Cft. Cad—2D 22
Meadow La. H Reg—7D 6
Meadow Rd. Lut—1F 15
Meadow Rd. Tod—6A 4
Meadows, The. B Grn—4K 17
Meadows, The. W'fld—3A 6
Meadow Way. Cad—2C 22
Meadow Way. L Buz—5J 27
Meadow Way. Offl—1J 11
Meads Clo. H Reg—7D 6
Meads, The. Eat B—5E 18
Meads, The. Lut—2E 14
Meadway. Dunst—6B 12

Overstone Rd. *Lut*—4B **14**
Oving Clo. *Lut*—3D **16**
Oxendon Ct. *L Buz*—2E **26**
Oxen Ind. Est. *Lut*—4K **15** (1E **29**)
Oxen Rd. *Lut*—4K **15** (1E **29**)
Oxford Rd. *B Grn*—4K **17**
Oxford Rd. *Lut*—7J **15** (6C **29**)

Packhorse Pl. *Kens*—6A **22**
Paddock Clo. *Lut*—1H **13**
Paddocks, The. *L Buz*—5D **26**
Page's Ind. Est. *L Buz*—7G **27**
Pages Ind. Pk. *L Buz*—7F **27**
Page's Pk. Station. —7G 27
Paignton Clo. *Lut*—1B **14**
Palma Clo. *Dunst*—2B **12**
Parade, The. *Dunst*—4C **12**
Parade, The. *Lut*—5A **8**
Park Av. *H Reg*—7E **6**
Park Av. *Lut*—5A **8**
Park Av. *Tot*—2H **19**
Park Av. Trad. Est. *Lut*—5K **7**
Park Hill. *Tod*—4B **4**
Parkland Dri. *Lut*—1H **23** (7B **29**)
Park La. *Eat B*—4D **18**
Park Leys. *Harl*—2H **5**
Parkmead. *Lut*—7E **29**
Pk. Meadow Clo. *Bar C*—2B **28**
Park M. *L Buz*—6F **27**
Park Rd. *Dunst*—6E **12**
Park Rd. *Tod*—4A **A**
Park Rd. N. *H Reg*—7E **6**
Parkside. —6F 7
Parkside Clo. *H Reg*—7F **7**
Parkside Dri. *H Reg*—7E **6**
Parkside Flats. *Dunst*—5E **12**
Park Sq. *Lut*—6J **15** (5D **29**)
Park St. *Dunst*—4C **12**
Park St. *Lut*—6J **15** (5D **29**)
Park St. W. *Lut*—7J **15** (6D **29**)
Park Town. —7K 15
Park Viaduct. *Lut*—7J **15** (6D **29**)
Park Vw. Clo. *Lut*—6B **8**
Parkway. *H Reg*—6G **7**
Parkway Rd. *Lut*—1B **24**
Parrot Clo. *Dunst*—4G **13**
Partridge Clo. *Lut*—7J **7**
Parys Rd. *Lut*—6F **9**
Pascomb Rd. *Dunst*—5B **12**
PASQUE HOSPICE. —3E 8
Pastures, The. *Edl*—7F **19**
Pastures Way. *Lut*—7H **7**
Patterdale Clo. *Dunst*—6D **12**
Peach Ct. *Lut*—7K **15** (6E **29**)
*Peacock M. L Buz—5F **27***
(off Hockliffe St.)
Peartree Clo. *Tod*—6A **4**
Pear Tree La. *L Buz*—4F **27**
Peartree Rd. *Lut*—1C **16**
Pebblemoor. *Edl*—7E **18**
Peck Ct. *Bar C*—1B **28**
Peel Pl. *Lut*—6H **15** (5B **29**)
Peel St. *H Reg*—7D **6**
Peel St. *Lut*—6H **15** (5B **29**)
Pegasus Rd. *L Buz*—4H **27**
Pegsdon Clo. *Lut*—5F **9**
Pembroke Av. *Lut*—2C **14**
Penda Clo. *Lut*—6D **8**
Penhill. *Lut*—6C **8**
Penhill Ct. *Lut*—6C **8**
Penley Way. *L Buz*—7F **27**
Pennine Av. *Lut*—4A **8**
Pennivale Clo. *L Buz*—4F **27**
Penrith Av. *Dunst*—6D **12**
Pepperstock. —5G 23
Peppiates, The. *Dunst*—5C **18**
Pepsal End Rd. *Pep*—7G **23**
Percheron Dri. *Lut*—2J **13**
Percival Way. *Lut A*—6C **16**
Peregrine Rd. *Lut*—1J **13**
Periwinkle La. *Dunst*—6E **12**
*Periwinkle Ter. Dunst—6E **12***
(off Periwinkle La.)
Perry Mead. *Eat B*—5E **18**
Perrymead. *Lut*—3F **17**
Petard Clo. *Lut*—3J **13**
Petersfield Gdns. *Lut*—3C **8**
Peters Green. —3J 25
Petropolis Ho. *Dunst*—5D **12**
Petunia Ct. *Lut*—4G **15**
Pevensey Clo. *Lut*—1D **16**
Phoenix Clo. *L Buz*—4J **27**
Piggotts La. *Lut*—1B **14**
Pikes Clo. *Lut*—5C **29**
Pilgrims Clo. *Harl*—3H **5**
Pine Clo. *L Buz*—2F **27**
Pinecrest M. *L Buz*—6D **26**
Pinewood Clo. *Lut*—3A **8**
Pinford Dell. *Lut*—4D **16**
Pipers Cft. *Dunst*—6B **12**
Pipers La. *Al G & Cad*—6C **22**
Pirton Rd. *Lut*—7A **8**
Plaiters Way. *Bid*—7C **6**
Plantation Rd. *L Buz*—1E **26**
Plantation Rd. *Lut*—5B **8**
Platt Clo. *Leag*—1B **14**
Platz Ho. *H Reg*—7F **7**
Playford Sq. *Lut*—7B **8**
Plewes Clo. *Kens*—6G **21**
Plough Clo. *Lut*—1G **13**
*Plough Ct. Lut—1G **13***
(off Plough Clo.)
*Plummer Haven. L Buz—3F **27***
(off Broomhills Rd.)
Plummers La. *Lut & Hpdn*—4J **25**
Plumpton Clo. *Lut*—2D **16**
Plum Tree La. *L Buz*—4F **27**
Plymouth Clo. *Lut*—4B **16**
Poets Grn. *Lut*—3J **13**
Polegate. *Lut*—3D **16**
Polzeath Clo. *Lut*—5C **16**
Pomeroy Gro. *Lut*—7J **9**
Pomfret Av. *Lut*—5K **15** (2E **29**)
Pond Clo. *Lut*—7K **7**
Pondwicks Path. *Lut*—4D **29**
(in two parts)
Pondwicks Rd. *Lut*—6K **15** (4E **29**)
*Popes Ct. Lut—4H **15***
(off Old Bedford Rd.)
Poplar Av. *Lut*—4G **9**
Poplar Cvn. Site. *Tot*—2G **19**
Poplar Clo. *L Buz*—2F **27**
Poplar Rd. *Kens*—6G **21**
Poplars Clo. *Lut*—2B **16**
Porlock Dri. *Lut*—4C **16**
Portland Clo. *H Reg*—2D **12**
Portland Ct. *Lut*—4E **14**
Portland Ride. *H Reg*—3C **12**
Portland Rd. *Lut*—4E **14**
Portobello Clo. *Bar C*—3B **28**
Porz Av. *H Reg*—2E **12**
Pottery Clo. *Lut*—5D **8**
Power Ct. *Lut*—6K **15** (4E **29**)
Poynters Rd. *Dunst*—2G **13**
Prebendal Dri. *S End*—4F **23**
Prentice Way. *Lut*—6D **16**
Presentation Ct. *Lut*—7K **15** (6E **29**)
President Way. *Lut*—5D **16**
Preston Gdns. *Lut*—3K **15**
Preston Path. *Lut*—3K **15**
Preston Rd. *Tod*—6C **4**
Prestwick Clo. *Lut*—7J **9**
Priestleys. *Lut*—6E **14**
Primrose Ct. *Dunst*—5C **12**
Princes Ct. *L Buz*—4E **26**
Princes Pl. *Lut*—4H **15**
Princess Ct. *Dunst*—4E **12**
Princess St. *Lut*—6H **15** (5B **29**)
Princes St. *Dunst*—5C **12**
Princes St. *Tod*—6B **4**
Prince Way. *Lut*—5D **16**
Printers Way. *Dunst*—3D **12**
Priory Gdns. *Dunst*—5E **12**
Priory Gdns. *Lut*—1H **15**
Priory Rd. *Dunst*—5E **12**
Proctor Way. *Lut*—6C **16**
Progress Way. *Lut*—6K **7**
Prospect Way. *Lut A*—6C **16**
Provost Way. *Lut*—5C **16**
Prudence Clo. *Harl*—2H **5**
Pulford Rd. *L Buz*—6E **26**
Purcell Rd. *Lut*—1H **13**
Purley Cen. *Lut*—5C **8**
Purway Clo. *Lut*—5C **8**
Purwell Wlk. *L Buz*—1G **27**
Putteridge Pde. *Lut*—1B **16**
Putteridge Pk. —6E 10
Putteridge Recreation Cen. —7C 10
Putteridge Rd. *Lut*—1B **16**
Pyghtle Ct. *Lut*—6E **14**
Pyghtle, The. *Lut*—6E **14**
Pynders La. *Dunst*—3G **13**
Pytchley Clo. *Lut*—7J **9**

Quadrant, The. *H Reg*—7E **6**
Quantock Clo. *Lut*—4F **9**
Quantock Ct. *Lut*—4F **9**
Quantock Ri. *Lut*—4F **9**
Queens Clo. *Lut*—7J **15** (6E **29**)
Queens Ct. *Dunst*—4E **12**
(LU5)
Queens Ct. *Dunst*—4D **12**
(LU6)
Queen's Ct. *Lut*—4H **15**
Queen St. *H Reg*—1D **12**
Queen St. *L Buz*—4E **26**
Queens Way. *Dunst*—4D **12**
Queens Way Pde. *Dunst*—4D **12**
Quickswood. *Lut*—5E **8**
Quilter Clo. *Lut*—1D **14**

Rackman Dri. *Lut*—7G **9**
Radburn Ct. *Dunst*—4C **12**
Radnor Rd. *Lut*—1H **13**
Radstone Pl. *Lut*—4F **17**
Raglan Clo. *Lut*—2H **13**
Raleigh Gro. *Lut*—4B **14**
Ramridge Rd. *Lut*—3A **16**
Ramsey Clo. *Lut*—2H **13**
Ramsey Ct. *Lut*—2H **13**
Ramsey Rd. *Bar C*—2C **28**
Randall Dri. *Tod*—6B **4**
Rannock Gdns. *L Buz*—5B **26**
Ranock Clo. *Lut*—4B **8**
Rapper Ct. *Lut*—5G **15** (2A **29**)
Ravenbank Rd. *Lut*—7C **10**
Ravenhill Way. *Lut*—7J **7**
Ravensburgh Clo. *Bar C*—2B **28**
Ravenscourt. *Dunst*—2B **12**
Ravensthorpe. *Lut*—1B **16**
Raynham Way. *Lut*—4D **16**
Readers Clo. *Dunst*—3C **12**
Reaper Clo. *Lut*—1G **13**
Recreation Rd. *H Reg*—6E **6**
Rectory La. *Lil*—2D **10**
Redferns Clo. *Lut*—7E **14**
Redferns Ct. *Lut*—7E **14**
Redfield Clo. *Dunst*—5A **12**
Redgrave Gdns. *Lut*—4D **8**
Red Ho. Ct. *H Reg*—1E **12**
Red Lion Cotts. *Offl*—2K **11**
Redmire Clo. *Lut*—6K **7**
Red Rails. *Lut*—1G **23**
Red Rails Ct. *Lut*—1G **23**
Redwood Dri. *Lut*—4A **8**
Redwood Glade. *L Buz*—1E **26**
Reeds Dale. *Lut*—3F **17**
Reeves Av. *Lut*—1F **15**
Regency Ct. *Dunst*—6E **12**
Regent St. *Dunst*—4D **12**
Regent St. *L Buz*—5G **27**
Regent St. *Lut*—6H **15** (5B **29**)
Reginald St. *Lut*—4H **15** (1B **29**)
Regis Rd. *Lut*—1G **13**
Renshaw Clo. *Lut*—3E **16**
Repton Clo. *Lut*—6C **8**
Reston Path. *Lut*—3E **16**
Retreat, The. *Dunst*—4H **13**
Ribocon Way. *Lut*—5K **7**
Richards Clo. *Lut*—7F **15**
Richards Ct. *Lut*—7F **15**
Richard St. *Dunst*—5E **12**
Richmond Ct. *Lut*—4K **15**
Richmond Hill. *Lut*—3K **15**
Richmond Hill Path. *Lut*—3K **15**
Richmond Rd. *L Buz*—6H **27**
Rickyard Clo. *Lut*—2B **16**
Riddy La. *Lut*—7F **9**

Ride, The. *L Buz* —5J **27**
Ride, The. *Tot* —4H **19**
Ridge Ct. *Lut* —4A **16**
Ridgeway. *Kens* —6G **21**
Ridgeway Av. *Dunst* —3F **13**
Ridgeway Dri. *Dunst* —4G **13**
Ridgway Rd. *Lut* —4K **15** (1E **29**)
Ridings, The. *Lut* —4G **15**
Ringmere Ct. *Lut* —2C **16**
  (off Telscombe Way)
Ringwood Rd. *Lut* —5H **9**
Ripley Rd. *Lut* —4A **14**
Riverside. *L Buz* —4F **27**
Riverside Rd. *Lut* —7E **8**
River Way. *Lut* —7C **8**
Robert Allen Ct. *Lut* —6D **29**
Robinson Cres. *Harl* —1H **5**
Robinswood. *Lut* —7J **9**
Robinswood Clo. *L Buz* —2E **26**
Rochdale Ct. *Lut* —6D **29**
Rochester Av. *Lut* —1C **16**
Rochester M. *L Buz* —6D **26**
  (off Church Rd.)
Rochford Dri. *Lut* —3E **16**
Rock Clo. *L Buz* —6C **26**
Rock La. *L Buz* —6A **26**
  (in two parts)
Rockleigh Ct. *L Buz* —5D **26**
Rockley Rd. *Lut* —7E **14**
Rodeheath. *Lut* —2B **14**
Rodney Clo. *Lut* —2H **13**
Roebuck Clo. *Lut* —7E **14**
Roedean Clo. *Lut* —2D **16**
Rogate Rd. *Lut* —7C **10**
Roman Ct. *H Reg* —1D **12**
Roman Gdns. *H Reg* —1D **12**
Roman Rd. *Bar C* —2D **28**
Roman Rd. *Lut* —2C **14**
Rondini Av. *Lut* —2F **15**
Rookery Dri. *Lut* —6H **9**
Roosevelt Av. *L Buz* —4G **27**
Ropa Ct. *L Buz* —5E **26**
  (off Friday St.)
Rosebery Av. *L Buz* —5D **26**
Rosebery Ct. *L Buz* —5E **26**
Rose Ct. *Eat B* —4D **18**
Rosedale. *H Reg* —7G **7**
Rosedale Clo. *Lut* —5A **8**
Rose Wlk. *Dunst* —6B **4**
Rose Wlk. *H Reg* —6G **7**
Rose Wood Clo. *Lut* —3K **15**
Roslyn Way. *H Reg* —7C **6**
Ross Clo. *Lut* —7F **15**
Rossfold Rd. *Lut* —4B **8**
Rosslyn Cres. *Lut* —7G **9**
Rossway. *S End* —5F **23**
Rossway St. *Lut* —5G **23**
Rotherfield. *Lut* —2D **16**
Rotherham Av. *Lut* —1F **23**
Rotherwood Clo. *Dunst* —4A **12**
Rothesay Rd. *Lut* —6H **15** (5A **29**)
Rothschild Rd. *L Buz* —4D **26**
Roundel Dri. *L Buz* —7J **27**
Round Green. —2K 15
Rowan Clo. *Lut* —6F **15**
Rowel Fld. *Lut* —4C **16**
Rowington Clo. *Lut* —3E **16**
Rowley Furrows. *L Buz* —4C **26**
Royale Wlk. *Dunst* —6E **12**
Royal Houses. *Bar C* —1C **28**
Royce Clo. *Dunst* —6B **12**
Roydon Clo. *Lut* —1J **13**
Rudyard Clo. *Lut* —2B **14**
Rueley Dell Rd. *Lil* —2D **10**
Runfold Av. *Lut* —7E **8**
Runham Clo. *Lut* —1K **13**
Runley Rd. *Lut* —5C **14**
Runnymede Ct. *Lut* —6D **8**
Rushall Grn. *Lut* —3D **16**
Rushmere. —1D 26
Rushmore Clo. *Cad* —1C **22**
Rusper Grn. *Lut* —2D **16**
Russell Clo. *Kens* —6G **21**
Russell Ri. *Lut* —7H **15** (7A **29**)
Russell Rd. *Tod* —6B **4**
Russell St. *Lut* —7H **15** (6A **29**)
Russell Way. *L Buz* —5H **27**

Ruthin Clo. *Lut* —1H **23** (7B **29**)
Rutland Ct. *Lut* —6A **16**
Rutland Cres. *Lut* —6A **16**
Rutland Path. *Lut* —6A **16**
Ryans Ct. *Lut* —4K **15**
Rydal Way. *Lut* —7D **8**
Rye Clo. *L Buz* —5J **27**
Ryecroft Way. *Lut* —2A **16**
Ryefield. *Lut* —3E **8**
Rye Hill. *Lut* —4H **15** (1B **29**)
  (off Cromwell Hill)
Rye, The. *L Buz & Eat B* —1A **18**
Rylands Heath. *Lut* —3F **17**
Ryton Clo. *Lut* —6F **15**

Sacombe Grn. *Lut* —3F **9**
Saffron Clo. *Lut* —6H **9**
Saffron Ri. *Eat B* —4E **18**
St Aldates Ct. *Lut* —2F **15**
St Andrews Clo. *L Buz* —4F **27**
St Andrews Clo. *S End* —5F **23**
St Andrews La. *H Reg* —7E **6**
  (in two parts)
St Andrews M. *Lut* —1E **14**
St Andrew's St. *L Buz* —5F **27**
St Andrews Wlk. *Cad* —5G **23**
St Ann's La. *Lut* —6J **15** (5D **29**)
St Ann's Rd. *Lut* —6K **15** (5E **29**)
St Augustine Av. *Lut* —2F **15**
St Bernard's Clo. *Lut* —2G **15**
St Catherines Av. *Lut* —1F **15**
St Christopher's Clo. *Dunst* —4H **13**
St David's Way. *H Reg* —6F **7**
  (off Kent Rd.)
St Dominics Sq. *Lut* —1H **13**
  (off Tomlinson Av.)
St Ethelbert Av. *Lut* —1F **15**
St George's Clo. *L Buz* —4G **27**
St Georges Clo. *Tod* —5B **4**
St Georges Ct. *L Buz* —4G **27**
St George's Sq. *Lut* —6J **15** (4C **29**)
St Giles Clo. *Tot* —4H **19**
St Ives Clo. *Lut* —2F **15**
St James Clo. *H Reg* —1G **13**
St James Rd. *Lut* —2F **15**
St John Clo. *Lut* —1F **23**
St John's Ct. *Lut* —1G **23**
St Joseph's Clo. *Lut* —1E **14**
St Kilda Rd. *Lut* —1H **13**
St Lawrences Av. *Lut* —1G **15**
St Leonard's Clo. *L Buz* —1G **27**
St Lukes Clo. *Lut* —3C **14**
St Margarets Av. *Lut* —1F **15**
St Margarets Clo. *S'ley* —7A **28**
St Martin's Av. *Lut* —3K **15**
St Mary's Chu. Path. *Lut* —5D **29**
St Mary's Ct. *Dunst* —5D **12**
St Mary's Ga. *Lut* —5D **12**
St Mary's Glebe. *Edl* —7E **18**
St Mary's Ri. *B Grn* —4K **17**
St Mary's Rd. *Lut* —6K **15** (4E **29**)
St Mary's St. *Dunst* —5D **12**
St Mary's Way. *L Buz* —5D **26**
St Matthews Clo. *Lut* —5J **15** (2D **29**)
St Michaels Av. *H Reg* —1C **12**
St Michael's Cres. *Lut* —2G **15**
St Mildreds Av. *Lut* —2G **15**
St Monicas Av. *Lut* —2F **15**
St Ninians Ct. *Lut* —5H **15** (2B **29**)
St Olam's Clo. *Lut* —6F **9**
St Paul's Gdns. *Lut* —1J **23**
St Paul's Rd. *Lut* —1J **23**
St Peter's Rd. *Dunst* —5E **12**
St Peters Rd. *Lut* —6F **15**
St Saviour's Cres. *Lut* —7H **15** (6A **29**)
St Thomas's Rd. *Lut* —1K **15**
St Vincent Gdns. *Lut* —2B **14**
St Winifreds Av. *Lut* —1G **15**
Salisbury Rd. *Lut* —7H **15** (6A **29**)
Sallowsprings. *Whip* —4B **20**
Saltdean Clo. *Lut* —1D **16**
Salters Way. *Dunst* —2B **12**
Saltfield Cres. *Lut* —1A **14**
Salusbury La. *Offl* —2J **11**
Sandalwood Clo. *Lut* —5F **9**

Sandell Clo. *Lut* —3K **15**
Sandgate Rd. *Lut* —3B **14**
Sandhills. *L Buz* —3G **27**
Sandland Clo. *Dunst* —4C **12**
Sandown Clo. *Lut* —5E **8**
Sandringham Dri. *H Reg* —1F **13**
Sandy La. *L Buz* —1E **26**
Sanfoin Rd. *Lut* —1J **13**
Santingfield N. *Lut* —7F **15**
Santingfield S. *Lut* —7F **15**
Sarum Rd. *Lut* —1C **14**
Saturn Clo. *L Buz* —4J **27**
Sawtry Clo. *Lut* —6E **8**
Saxon Clo. *Dunst* —5A **12**
Saxon Cres. *Bar C* —1C **28**
Saxon Rd. *Lut* —3G **15**
Saxons Clo. *L Buz* —5H **27**
Saxted Clo. *Lut* —4D **16**
Saywell Rd. *Lut* —3A **16**
Scawsby Clo. *Dunst* —4A **12**
School La. *Eat B* —4E **18**
School La. *Lut* —1B **14**
School La. *Offl* —1J **11**
School Wlk. *H Reg* —5F **7**
School Wlk. *Lut* —7J **15** (7D **29**)
Scotfield Ct. *Lut* —2D **16**
Scott Ct. *Dunst* —4E **12**
Scott Rd. *Lut* —5A **8**
Seabrook. *Lut* —2K **13**
Seaford Clo. *Lut* —2C **16**
Seal Clo. *Leag* —2B **14**
Seamons Clo. *Dunst* —7F **13**
Sears, The. *Dunst* —5B **18**
Seaton Rd. *Lut* —2D **14**
Sedbury Clo. *Lut* —6E **8**
Sedgwick Rd. *Lut* —5K **7**
Selbourne Rd. *Lut* —2D **14**
Selina Clo. *Lut* —5A **8**
Selsey Dri. *Lut* —7C **10**
Severalls, The. *Lut* —2B **16**
Severn Wlk. *L Buz* —1G **27**
  (in three parts)
Sewell La. *Dunst* —2A **12**
Seymour Av. *Lut* —1K **23** (7E **29**)
Seymour Rd. *Lut* —1K **23** (7E **29**)
Shaftesbury Rd. *Lut* —5F **15**
Shakespeare Rd. *Lut* —2K **13**
Shanklin Clo. *Lut* —5E **8**
Sharpenhoe Rd. *Bar C* —3A **28**
  (Barton-le-Clay)
Sharpenhoe Rd. *Bar C & Lut* —7A **28**
  (Streatley)
Sharples Grn. *Lut* —4F **9**
Shelley Rd. *Lut* —3K **13**
Shelton Av. *Tod* —7B **4**
Shelton Clo. *Tod* —7B **4**
Shelton Way. *Lut* —2A **16**
Shenley Clo. *L Buz* —1G **27**
Shenley Hill Rd. *L Buz* —1G **27**
Shepherd Rd. *Lut* —1G **13**
Shepherds Clo. *Harl* —2H **5**
Shepherds Mead. *L Buz* —3F **27**
Sherborne Av. *Lut* —6H **9**
Sherd Clo. *Lut* —5B **8**
Sheridan Rd. *Lut* —3G **15**
Sheriden Clo. *Dunst* —4D **12**
Sheringham Clo. *Lut* —5G **9**
Sherwood Rd. *Lut* —3E **14**
Shingle Clo. *Lut* —4E **8**
Ship Rd. *L Buz* —6D **26**
Shires, The. *Lut* —4H **15** (2B **29**)
Shirley Rd. *Lut* —5G **15**
Shortcroft Ct. *Bar C* —3B **28**
Short Path. *H Reg* —6E **6**
Sibley Clo. *Lut* —2B **16**
Silecroft Rd. *Lut* —5A **16**
Silver St. *Lut* —6J **15** (4C **29**)
Simpkins Dri. *Bar C* —1C **28**
Simpson Clo. *Lut* —3B **14**
Sir Herbert Janes Village. *Lut* —1B **14**
Skelton Clo. *Lut* —3F **9**
Skimpot La. *Lut* —4K **13**
Skimpot Rd. *Dunst* —4J **13**
Skua Clo. *Lut* —7J **7**
Slate Hall. *Lut* —7J **5**
Slickett's La. *Edl* —7F **19**
Slip End. —4G 23

Smithcombe Clo. *Bar C* —2C **28**
Smiths La. Mall. *Lut* —5D **29**
Smith Sq. *Lut* —4D **29**
Snowford Clo. *Lut* —5E **8**
Solway Rd. N. *Lut* —1E **14**
Solway Rd. S. *Lut* —2E **14**
Someries. —1D 24
Someries Arch. *Lut* —1C **24**
Somersby Clo. *Lut* —1J **23**
Somerset Av. *Lut* —3A **16**
Sorrel Clo. *Lut* —4E **8**
Soulbury Rd. *L Buz* —4B **26**
Southampton Gdns. *Lut* —3B **8**
South Bedfordshire Golf Course. —3H 9
Southcott Village. *L Buz* —6C **26**
Southcourt Av. *L Buz* —6C **26**
Southcourt Rd. *L Buz* —5C **26**
S. Drift Way. *Lut* —7F **15**
S. End La. *N'all* —6A **18**
Southern Ri. *E Hyde* —6F **25**
   (in two parts)
Southfields Rd. *Dunst* —7F **13**
South Rd. *Lut* —7H **15** (7B **29**)
South St. *L Buz* —5G **27**
Southwood Rd. *Dunst* —7G **13**
Sowerby Av. *Lut* —2C **16**
Spandow Ct. *Lut* —7H **15** (6B **29**)
   (off Elizabeth St.)
Sparrow Clo. *Lut* —1J **13**
Spayne Clo. *Lut* —4F **9**
Spear Clo. *Lut* —6C **8**
Speedwell Clo. *Lut* —4E **8**
Spencer Ct. L Buz —3G **27**
   (off Churchill Rd.)
Spencer Rd. *Lut* —4G **15**
Spinney Cres. *Dunst* —5B **12**
Spinney Rd. *Lut* —5B **8**
Spittlesea Rd. *Lut* —7C **16**
Spoondell. *Dunst* —6B **12**
Sports Cen. —1A 24
   (Luton)
Spratts La. *Kens* —4G **21**
Springfield Ct. L Buz —5D **26**
   (off Springfield Rd.)
Springfield Rd. *Eat B* —5K **19**
Springfield Rd. *L Buz* —5C **26**
Springfield Rd. *Lut* —6G **9**
Spring Pl. *Lut* —7H **15** (6B **29**)
Springside. *L Buz* —5D **26**
Springwood Rd. Lut —6H **9**
   (off Ringwood Rd.)
Spurcroft. *Lut* —3G **9**
Square, The. *Dunst* —5D **12**
Squires Rd. *Tod* —5B **4**
Stadium Ind. Est. *Lut* —4J **13**
Staines Sq. *Dunst* —6E **12**
Stanbridge Rd. *L Buz* —6G **27**
Stanbridge Rd. *Tot* —1E **18**
Stanbridge Rd. Ter. *L Buz* —6G **27**
Stanford Rd. *Lut* —3A **16**
Stanley Livingstone Ct. Lut —7H **15** (6A **29**)
   (off Stanley St.)
Stanley Rd. *S'ley* —7A **28**
Stanley St. *Lut* —7H **15** (6A **29**)
Stanley Wlk. *Lut* —6A **29**
   (in two parts)
Stanmore Cres. *Lut* —1D **14**
Stanton Rd. *Lut* —4A **14**
Stapleford Rd. *Lut* —1B **16**
Startpoint. *Lut* —6G **15**
Statham Clo. *Lut* —3F **9**
Station App. *L Buz* —6D **26**
Station Rd. *Dunst* —5F **13**
Station Rd. *Harl* —2H **5**
Station Rd. *Leag* —7C **8**
Station Rd. *L Buz* —5D **26**
Station Rd. *Lut* —5J **15** (3C **29**)
Station Rd. *Tod* —4C **4**
Staveley Rd. *Dunst* —7D **12**
Staveley Rd. *Lut* —4A **14**
Stephens Clo. *Lut* —2A **16**
Stephens Gdns. *Lut* —3A **16**
Stephenson Clo. *L Buz* —6D **26**
Steppingstone Pl. *L Buz* —6G **27**
Steppingstones. *Dunst* —5B **12**
Stewart Clark Ct. *Dunst* —4C **12**
Stipers Clo. *Dunst* —1G **21**

Stipers Hill. —1F 21
Stivers Way. *Harl* —1H **5**
Stockdale. *Tod* —6B **4**
Stockholm Way. *Lut* —4C **8**
Stockingstone Rd. *Lut* —2H **15**
Stockwood Country Pk. —2G 23
Stockwood Ct. *Lut* —7B **29**
Stockwood Craft Mus. —2H 23
Stockwood Cres. *Lut* —7H **15** (7B **29**)
Stockwood Pk. Golf Course.
—3H 23
Stoke Rd. *L Buz* —3C **26**
Stonehenge Works Station. —1K 27
Stoneleigh Clo. *Lut* —5F **9**
Stonesdale. *Lut* —1A **14**
Stoneways Clo. *Lut* —6B **8**
Stoneygate Rd. *Lut* —3B **14**
Stony La. *Lut & K Wal* —4G **17**
Stopsley. —1F 21
Stopsley Common. —6J 9
Stopsley Mobile Home Pk. *Lut*
   —1K **15**
Stopsley Way. *Lut* —2A **16**
Strafford Clo. *Harl* —2H **5**
Strangers Way. *Lut* —1A **14**
Stratford Clo. *Tod* —5B **4**
Stratford Rd. *Lut* —4F **15**
Strathmore Av. *Lut* —1J **23** (7E **29**)
Strathmore Wlk. *Lut* —7K **15** (7E **29**)
Stratton Gdns. *Lut* —1H **15**
Strawberry Fld. *Lut* —5C **8**
Streatley. —7A 28
Streatley Rd. *S'dn* —7K **5**
Stronnell Clo. *Lut* —2A **16**
Stuart Pl. *Lut* —6H **15** (5B **29**)
Stuart Rd. *Bar C* —1C **28**
Stuart St. *Dunst* —4C **12**
Stuart St. *Lut* —6H **15** (4B **29**)
Stuart St. Pas. *Lut* —6H **15** (5B **29**)
Stubbs Clo. *H Reg* —7F **7**
Studham La. *Kens* —6C **20**
Studley Rd. *Lut* —4H **15** (1A **29**)
Styles Clo. *Lut* —3C **16**
Sudbury Rd. *Lut* —6K **7**
Suffolk Clo. *Lut* —2J **13**
Suffolk Rd. *Dunst* —7H **13**
Sugden Ct. *Dunst* —5C **12**
Summerfield Rd. *Lut* —5D **14**
Summerleys. *Edl* —6E **18**
Summers Rd. *Lut* —4C **16**
Summer St. *L Buz* —5G **27**
Summer St. *S End* —4G **23**
Sunbower Av. *Dunst* —2A **12**
Suncote Av. *Dunst* —2A **12**
Suncote Clo. *Dunst* —3A **12**
Sundon Hills. —5K 5
Sundon Hills Country Pk. —5K 5
Sundon La. *H Reg* —7E **6**
Sundon Park. —5A 8
Sundon Pk. Pde. *Lut* —5A **8**
Sundon Pk. Rd. *Lut* —3K **7**
Sundon Rd. *Chal & Lut* —3H **7**
Sundon Rd. *Harl* —2H **5**
Sundon Rd. *H Reg & Chal* —7E **6**
Sundon Rd. *S'ley* —7A **28**
Sundon Rd. *S'dn* —5K **5**
Sundown Av. *Dunst* —6F **13**
Sunningdale. *Lut* —2K **15**
Sunningdale Ct. *Lut* —2K **15**
Sunridge Av. *Lut* —3J **15**
Sunset Dri. *Lut* —2K **15**
Surrey St. *Lut* —7J **15** (7D **29**)
Sussex Clo. *Lut* —1H **13**
Sussex Rd. *Lut* —3D **16**
Sutherland Pl. *Lut* —1H **23** (7A **29**)
Sutton Gdns. *Lut* —6B **8**
Swales Dri. *L Buz* —7J **27**
Swallow Clo. *Lut* —1J **13**
Swan Clo. *Dunst* —5D **12**
Swan Mead. *Lut* —1J **13**
Swansons. *Edl* —7F **19**
Swanston Grange. *Lut* —3K **13**
Swasedale Rd. *Lut* —6D **8**
Swasedale Wlk. *Lut* —6D **8**
Swifts Grn. Clo. *Lut* —7B **10**
Swifts Grn. Rd. *Lut* —7B **10**
Sworder Clo. *Lut* —3D **8**

Sycamore Clo. *Lut* —3A **8**
Sycamore Rd. *H Reg* —6E **6**
Sylam Clo. *Lut* —5C **8**

Tabor Clo. *Harl* —1H **5**
Talbot Ct. *L Buz* —4F **27**
Talbot Rd. *Lut* —4K **15**
Tall Pines. *L Buz* —2E **26**
Tamar Wlk. *L Buz* —1G **27**
Tameton Clo. *Lut* —3F **17**
Tancred Rd. *Lut* —1A **16**
Tanfield Grn. *Lut* —4E **16**
Tarnside Clo. *Dunst* —7D **12**
Taskers Row. *Edl* —6F **19**
Taunton Av. *Lut* —4B **16**
Tavistock Cres. *Lut* —1J **23** (7C **29**)
Tavistock Pl. *Dunst* —3C **12**
Tavistock St. *Dunst* —3C **12**
Tavistock St. *Lut* —7J **15** (7C **29**)
Taylor's Ride. *L Buz* —2E **26**
Taylor St. *Lut* —5K **15** (2D **29**)
Tea Green. —2H 17
Tebworth Rd. *Teb & L Buz* —3A **6**
   (in two parts)
Teesdale. *Lut* —7A **8**
Telford Way. *Lut* —5H **15** (3A **29**)
Telmere Ind. Est. *Lut* —7D **29**
Telscombe Way. *Lut* —2C **16**
Temple Clo. *Lut* —7J **9**
Tenby Dri. *Lut* —2D **14**
Tenby M. *Lut* —2C **14**
Tennyson Av. *H Reg* —1F **13**
Tennyson Rd. *Lut* —2J **23** (7D **29**)
Tenth Av. *Lut* —5A **8**
Tenzing Gro. *Lut* —7G **15**
Thames Ct. *Lut* —2F **15**
Thames Ind. Est. *Dunst* —5D **12**
Thatch Clo. *Lut* —1H **13**
Thaxted Clo. *Lut* —3F **17**
Theatre. —4C 29
Thelby Clo. *Lut* —6D **8**
Therfield Wlk. *H Reg* —6G **7**
Thetford Gdns. *Lut* —6J **9**
Third Av. *Lut* —5A **8**
Thirlestone Rd. *Lut* —4B **14**
Thistle Rd. *Lut* —6K **15**
Thornage Clo. *Lut* —5H **9**
Thornbury. *Dunst* —3H **13**
Thornbury Ct. *H Reg* —5E **6**
Thornhill Clo. *H Reg* —5F **7**
Thornhill Rd. *Lut* —4D **14**
Thorn Rd. *H Reg* —6A **6**
Thorntondale. *Lut* —7A **8**
Thorn Vw. Rd. *H Reg* —7D **6**
Thrales Clo. *Lut* —5C **8**
   (in three parts)
Thresher Clo. *Lut* —1H **13**
Threshers Ct. *L Buz* —5J **27**
Thricknells Clo. *Lut* —5C **8**
Thurlow Clo. *Lut* —1H **13**
Thyme Clo. *Lut* —5J **9**
Tibbet Clo. *Dunst* —7F **13**
Tiberius Rd. *Lut* —6D **8**
Tiddenfoot Leisure Cen. —7D 26
Tilgate. *Lut* —2D **16**
Tiller Ct. *L Buz* —5J **27**
Timberlands Cvn. Site. *Lut* —6G **23**
Timworth Clo. *Lut* —4D **16**
Tindall Av. *L Buz* —3G **27**
Tinsley Clo. *Lut* —1F **23**
Tintagel Clo. *Lut* —1F **15**
Tipplehill Rd. *Al G* —4D **22**
Titan Ct. *Lut* —4D **14**
Tithe Farm. —6D 6
Tithe Farm Rd. *H Reg* —6D **6**
Toddington. —5B 4
Toddington Manor. —3A **4**
Toddington Rd. *Harl* —1F **5**
Toddington Rd. *Lut* —6K **7**
Toland Clo. *Lut* —4A **14**
Tomlinson Av. *Lut* —1G **13**
Torquay Dri. *Lut* —1B **14**
Totternhoe. —3J 19
Totternhoe Knolls Nature Reserve. —2H 19
Totternhoe Rd. *Dunst* —6A **12**
Totternhoe Rd. *Eat B* —4D **18**